HET MELKVARKEN

© Alyssa Brugman, 2004
© Nederlandse vertaling Bea De Koster /
Uitgeverij Houtekiet, 2007
Uitgeverij Houtekiet, Vrijheidstraat 33, B-2000 Antwerpen
info@houtekiet.com
www.houtekiet.com

Zetwerk Intertext, Antwerpen
Omslag Jan Hendrickx
Foto Femke Vermeulen

ISBN 978 90 5240 912 2
D 2007 4765 1
NUR 280

Oorspronkelijke titel: *Being Bindy*
Oorspronkelijke uitgever:
Allen & Unwin, Australië

Alyssa Brugman

Het Melkvarken

Vertaling Bea De Koster

Houtekiet
Antwerpen / Amsterdam

Mijn oprechte dank aan Layne die zonder morren, en van begin tot eind, geluisterd heeft naar uitweidingen van wel duizend woorden, en die met veel geestdrift het videospelletje Battlefield 1942 voor me heeft uitgevlooid. En ik wil ook graag Rosalind en Sarah bedanken voor hun nooit aflatende geduld en hun scherpzinnigheid.

Alyssa Brugman heeft haar vaste baan in public relations opgegeven om zich helemaal aan het schrijven te kunnen wijden. Haar eerste twee boeken, *Finding Grace* (*Wie is Julia,* Gottmer 2002) en *Walking Naked* (*Verraad,* Houtekiet 2005) hadden veel succes bij lezers en critici. Alyssa woont in Sydney, Australië.

EEN

Iedere middag, behalve op woensdag, kwam mijn vader Janey en mij na school oppikken. Dat vond Janey altijd prima, maar op een dag merkte ik dat er iets veranderd was. Niks opvallends, hoor, gewoon iets heel onbenulligs. Toen ze in de auto stapte, zakte ze meteen onderuit zodat niemand haar kon zien. Mijn vader zat er niet mee. Hij maakte er een grapje van, deed of we spionnen waren.

'En, geen nieuws van de vijand?' fluisterde hij toen we eenmaal de portieren hadden dicht geknald.

'Janey gaat uit met Mitchell,' antwoordde ik. Terwijl de woorden nog uit mijn mond kwamen, gaf ze me al een hou-je-kop por in mijn dij.

'Wat?' fluisterde ik. We hielden pap altijd op de hoogte van onze amourettes, al sinds de eerste van de middelbare toen we alleen al in de lunchpauze op drie verschillende jongens waren (hoewel we met geen van drieën een woord wisselden).

'En waar wilden jullie naartoe?' vroeg mijn vader.

Janey speelde gewoonlijk het spelletje mee, maar nu

rolde ze met haar ogen en slaakte een zucht. 'We gaan nergens naartoe.'

'Je gaat dus toch niet uit met Mitchell?'

'Nee, ik Ga Uit met hem.'

'Ik dacht dat je zei dat je met 'm uitging.' Pap genoot van dit soort onzin.

Toen mompelde Janey nauwelijks hoorbaar: 'ISHWW JMWIG.'

'Wat?' zei ik.

'Vertel ik je straks wel.'

'ISHWWJMWIG' bleek een geheime code te zijn voor: ik snap heus wel waarom je moeder weg is gegaan. Ik probeerde ook een code voor Janey's moeder te bedenken, maar zij bracht ons nooit zozeer in verlegenheid als mijn vader. Zij had er geen moeite mee om ons in een taxi te stoppen of om ons op een onopvallende plek af te zetten. Terwijl mijn vader ons altijd midden tussen de anderen liet uitstappen en dan, zwaaiend als een idioot, heel hard 'Dag meisjes!' uit het raampje schreeuwde. Mijn vader zwaait namelijk niet heen en weer, maar op en neer.

De volgende dag liepen we over het schoolplein. Ik probeerde Janey uit de buurt van het basketbalveld te houden en zette koers naar het met gras begroeide walletje naast Blok B, waar iedereen in kringetjes bij elkaar zat en waar geen gigantische ballen rond suisden als warmtezoekende projectielen.

Tot nog toe had Janey er nooit in toegestemd om op het walletje te gaan zitten, zelfs niet één enkel keertje, maar toch stelde ik het iedere dag weer voor, omdat ik wist dat ik Janey uiteindelijk zo ver zou kunnen krijgen, ook al gingen er een paar jaar overheen. Net zoals die keer dat Janey Keukenprinses Barbie had gekregen voor haar zevende verjaardag en me erin luisde om haar te ruilen voor Kapster Barbie. Dat was vals, want Keukenprinses Barbie was zo stom. Het heeft me drie jaar gekost om de ruil weer ongedaan te maken, maar tegen die tijd speelden we er niet echt meer mee, en inmiddels zag mijn Kapster Barbie eruit als een Tibetaanse monnik.

En toen zei Janey zomaar ineens: 'Hé, daar heb je Hannah en de anderen.' Alsof dat zo bijzonder was, en dat was het niet, want ze zaten precies waar ze altijd zaten – op de zitjes net achter het bord van het basketbalnet.

En dus liepen we naar ze toe en Janey begon een eind weg te kletsen. *Waar hebben jullie gezeten? Hoe hebben jullie het ervan af gebracht bij die toets voor wetenschappen?* Op dat punt gleed haar tas quasi toevallig van haar schouder op de grond en Janey bleef maar rebbelen alsof ze niks gemerkt had. *Wat kiezen jullie voor sport? IJsschaatsen? Nee toch?*

Janey kletste maar raak en ze boog zich een beetje voorover zodat ze goed kon horen wat ze zeiden, en even later hadden ze allemaal een eindje opgeschikt zodat ze kon gaan zitten.

Ik bleef in mijn eentje aan de rand van het veld staan, met mijn rugtas om. Ik leek wel een druiloor. Janey had niks in de gaten. Ze was zo verdiept in de sporttakken die je kon kiezen.

De volgende dag werden er tijdens de lunchpauze geen omtrekkende bewegingen meer gemaakt. Toen we terugkwamen van de kantine liep Janey meteen onder de overdekte promenade door naar Hannah en de anderen. Ze gooide haar tas boven op de stapel en liet zich neerploffen. Ik was niet van plan om nog eens aan de rand van het basketbalveld te blijven staan, maar er was geen plaats meer voor mij op de bank. Uiteindelijk ging ik met gekruiste benen naast Janey op de grond zitten, alsof ik haar hondje was of zo. Wat een afgang.

Ik realiseerde me niet dat dat betekende dat we nu bij de Groep van Hannah zaten. Ik dacht dat Janey Hannah niet eens mocht. Janey zei altijd dat Hannah's rokjes te kort waren en dat Hannah dacht dat ze beter was dan een ander.

'Weet je,' beklaagde ik me die avond aan tafel bij mijn vader, 'Janey heeft niet eens een zakje chips gekocht voor de lunch. Ze nam een worstenbroodje. Het was net of ik haar niet meer kende.'

'Misschien is dit een goed moment om jullie clubje wat uit te breiden. Je trekt al zo lang met Janey op, al van toen je vijf jaar oud was,' zei hij. 'Je moet zo onderhand alles weten wat Janey te zeggen heeft.'

'Maar Janey is mijn beste vriendin.'

'En dat kan ze nog lang blijven, alleen heb je nu ook andere vriendinnen.'

'Ik hoef geen andere vriendinnen. Ik voel me beter als de andere helft van een paar, maar niet als derde.'

Pap gaf een klapje op mijn arm. 'Misschien wordt het tijd om je horizon te verruimen?'

Pap had iets met het Verruimen van Horizonten. Toen mam wegging, begon hij te gymmen en te tennissen, en hij volgde cursussen in Thaïs koken en schilderen met olieverf in het buurthuis. Alleen het Thaïs koken is gebleven. Het olieverfschilderij dat hij in de les gemaakt had, gebruikt hij om het gat in het plafond van het washok te dichten.

Janey vond dat hij beter zijn haar had kunnen laten knippen in plaats van al die cursussen te volgen. Ik vond het niet leuk dat ze mijn vader zo genadeloos afkraakte, maar ze had wel gelijk. Zijn haar was een puinhoop. Het was te lang. Niet lang zoals iemand die zijn haar lang heeft, maar zoals iemand die bezuinigt op de kapper. Het was sliertig en stug en er zaten plukjes grijs tussen het roestbruin. Dat grijs was ook zo gek, het was eerder oranjegrijs, net als bij een rossige herdershond. Het zag eruit alsof hij het gekleurd had. Misschien deed hij dat wel. Maar ik had het hem nog nooit zien doen, en ik had ook nooit lege kleurflacons in de vuilnisbak gevonden. En stél dat hij het kleurde, dan zou hij toch niet voor de rossige kleur van een herdershond gaan?

In ieder geval, bij die hele Hannah-heisa hoefde ik van zijn kant niet veel hulp te verwachten.

En het had ook geen zin om er met mam over te praten. Zij had het niet zo op diepzinnige gesprekken. Al haar aandacht ging op aan haar pogingen om te ontkennen dat ze weer een nieuwe vriend had.

Ik dacht erover om er met Kyle over te praten, maar toen ik op zijn deur klopte, keek hij niet eens op van zijn computerscherm. 'Wat wil je, pukkel?' vroeg hij.

'Kan ik even met je praten?'

'Dat had je gedacht. Ik heb hier net de beste ping in een week tijd.'

Nee, ik stond er helemaal alleen voor.

TWEE

Op woensdagavond had Janey's mam haar handwerkclubje. Dan ging ik gewoonlijk logeren omdat we dan naar films konden kijken waar Janey's mam ons anders nooit naar liet kijken. Ze had een gigantische verzameling van het soort televisiefilms over huiselijk geweld dat steevast 's middags geprogrammeerd wordt. Films met titels als *Voorwerp van Misbruik*, en *Deze Ring is een Teken van mijn Angst*. Ze was bang dat we erdoor getraumatiseerd zouden raken, maar wij vonden ze grappig. We lagen de hele tijd te schreeuwen tegen de heldinnen. 'Kijk dan toch waar je loopt!' 'Hij zit in de kelderkast!' 'Knip het licht aan!'

Na school pikte Janey's moeder ons op met de grote sedan van haar kantoor in onroerend goed, en de hele weg naar huis kwebbelde ze aan een stuk door over het verloop van haar dag. Als ze nu nog huizen had verkocht, had het nog een beetje interessant kunnen zijn, maar ze was gebouwbeheerder en dus ging het over verstopte toiletten en sloten die veranderd moesten worden. Op een keer, zo'n vier jaar geleden, had een huurder een levende python achtergelaten in een linnenkast, maar het grootste deel van de tijd lieten ze alleen maar rotzooi achter en onbetaalde rekeningen.

Toen we bij Janey's huis kwamen, zat Hannah op de stoep. Aan haar voeten stond een grote sporttas, volgepropt met spullen alsof ze van plan was om een week te blijven. Ik was compleet verrast. Janey had er helemaal niks over gezegd dat Hannah zou komen logeren.

Janey's mam zwaaide heel even naar Hannah. Ze duwde op de grijze afstandsbediening op het dashboard en de garagepoort rolde langzaam en met kleine rukjes naar boven.

'Wanneer willen jullie weg?' vroeg Janey's moeder.

Janey haalde haar schouders op. 'Halfzeven zo ongeveer.'

Haar moeder knikte. 'Laat dan maar een taxi komen,' zei ze. 'Ik kom jullie na afloop wel oppikken. Stuur me maar een berichtje als je klaar bent, oké?'

Janey gaf haar een vluchtige zoen op haar wang en toen glipten we uit de auto.

'Waar ga je naartoe?' vroeg ik, terwijl ik Janey's moeder nakeek die de oprijlaan afreed.

'Ik dacht we misschien naar de film konden gaan,' zei Janey, terwijl ze naar de garage liep.

'Maar ik heb alleen mijn pyjama meegebracht,' zei ik.

'Je kunt wel iets van Hannah lenen.'

Hannah glipte onder de garagepoort door, wachtte tot wij ook naar binnen kwamen en drukte toen op het knopje aan de muur, zonder zelfs maar te kijken! Ze was vast ontelbare keren bij Janey langs geweest.

In Janey's kamer begon Hannah haar tas uit te pakken. Ze haalde topjes te voorschijn, en jeans en rokjes, en ze spreidde ze over het bed uit of hield ze voor zich terwijl ze in de spiegel keek. Janey deed haar kleerkast open en haalde er wel vijf verschillende soorten schoenen uit die ik nooit eerder had gezien.

'Wat dacht je van dat crèmekleurige topje?' vroeg Janey.

Hannah wierp me een blik toe. 'Ik had gedacht aan dat topje dat je schouders vrijlaat.'

'HEC,' zei Janey, terwijl ze een pasje achteruit deed en haar handen in haar lenden zette.

'HEC?' vroeg ik.

'Heel Erg Chic,' antwoordde Hannah.

Er viel een stilte.

'WMADL?' vroeg ik.

'Wat?' vroeg Hannah.

'Wat Moeten Al Die Letterwoorden?' antwoordde ik.

Hannah keek naar Janey en trok haar lip op.

Janey negeerde ons allebei. 'Deze schoenen zullen haar wel passen.'

Hannah knikte. 'Waarom ga je niet even onder de douche?' zei ze tegen me. 'Je wilt vast je haar wel wassen. Er liggen badlakens onder…'

'Ik weet waar de badlakens liggen. Ik ben hier wel eens eerder geweest, hoor,' snauwde ik.

'Okido,' antwoordde Hannah. 'Daar hoef je niet zo giftig om te worden.'

'Wat moet dit, Janey?' vroeg ik.

Hannah en Janey wisselden een blik. 'We gaan gewoon naar de film,' zei Janey.

'We willen dat je er leuk uitziet. Meer niet. Niks bij-zonders,' voegde Hannah eraan toe.

'We gaan een hoop lol hebben,' zei Janey met een glimlach. En toen keek ze op haar horloge. 'We hebben maar een uur en wij moeten ook nog onder de douche. Maak het niet te lang, okido?'

Toen ik uit de douche kwam, trok ik mijn beha en mijn slipje aan. Ik wikkelde het badlaken om me heen en ging terug naar Janey's kamer. Ik kon haar tegen Hannah horen praten toen ik door de gang liep.

'Heb je dat echt gezegd?' vroeg Janey.

'Nou, ik heb gezegd dat het iets voor stelletjes was. Die arme Cara. Ze heeft geen idee.'

'ZHGI,' zei Janey, en ze begonnen allebei te giechelen.

Toen ik de kamer in kwam, hielden ze op. Hannah verdween naar de badkamer.

Ze hadden een stel kleren voor me klaargelegd op het bed.

'Wat is dat?' vroeg ik, terwijl ik een minuscuul lapje zwarte stof ophield.

'Dat is je topje. Hannah heeft het in Hongkong ge-kocht. Hier kun je ze nergens vinden,' zei Janey tegen me, terwijl ze het over mijn hoofd trok.

Ik draaide me om zodat ik in de spiegel kon kijken.

'Je kunt mijn beha zien.'

'En wat dan nog? Trek 'm uit. Wat heb jij toch? Je hebt een mooi stel tieten,' zei ze, terwijl ze haar hand om een van mijn borsten legde.

'Janey! Wat doe je?' Ik duwde haar weg.

'Doe niet zo stom. Het is gewoon een tiet. We heb-ben allemaal tieten. Hier, trek die rok aan.'

Ze hield een rokje op van zo'n dertig centimeter lang.

'Ik dacht dat dat een ceintuur was!'

'Hàhà,' kaatste ze terug, en toen trok ze het badlaken van me af.

'Janey!'

'Wat? Je hebt je slipje toch aan?' zei ze, terwijl ze me de rok gaf. 'Ik heb je al in bikini gezien, dat is toch precies hetzelfde?'

Ik boog me voorover en knoopte het rokje dicht. Janey begon mijn voeten in een paar schoenen te wurmen. Daarna kwam ze overeind en ze draaide me naar de spiegel toe.

'Zo, kijk maar,' zei ze.

Hannah en ik hadden zowat dezelfde proporties, en dus snapte ik niet waarom haar kleren wel twee maten te klein voor me leken.

'Die schoenen kan ik niet aan. Daar kan ik niet op lopen. Kan ik mijn eigen schoenen niet aan?' vroeg ik, terwijl ik naar mijn voeten keek.

'Jouw schoenen passen helemaal niet bij die rok, suffie,' zei ze. En toen glipte ze de gang door naar de badkamer.

Hannah kwam naar binnen met een handdoek om haar haren en ze trok een topje aan dat er heel erg als een zakdoek uitzag. Ze stak haar hand weer in haar tas en pakte er een reusachtige beautycase uit die ze openklapte op Janey's bureau.

Ze pakte me bij mijn schouders en sleepte me naar de stoel. Ik ging zitten en zij plantte haar benen tussen de mijne, wat akelig dichtbij was. Ik leunde zo ver mogelijk naar achteren op de stoel.

'Ik heb geen make-up nodig,' zei ik.

'Natuurlijk wel,' zei ze. 'Dan komen je ogen beter uit.'

'Dankjewel, ik hou ze liever in mijn hoofd,' zei ik.

Geen reactie van Hannah, zelfs geen glimlach. Ze pakte een flesje basiscrème, spoot een toefje op haar hand en wreef toen haar handpalmen over elkaar. 'Een beetje voor jou,' zei ze, terwijl ze het over mijn wangen smeerde, 'en een beetje voor mij.' De rest masseerde ze in haar eigen huid.

'En nu je ogen dicht,' zei ze.

Ik voelde Hannah's borsteltje en potlood, eerst op mijn ene oog, daarna op mijn andere. Haar adem streek over mijn wang. Het was vreemd om haar zo dicht bij me te voelen – absoluut niet prettig.

'Doe maar open. Nu nog een beetje mascara en dan ben je klaar,' zei ze.

Ik probeerde mijn ogen open te houden, maar ze begonnen te tranen.

'Hou op, zeg. Straks loopt alles uit en dan moet ik weer helemaal overnieuw beginnen,' klaagde ze.

'Ik doe het niet met opzet,' bromde ik, terwijl ik probeerde om haar adem niet in te ademen.

'Zo,' zei ze, terwijl ze glimlachend achteruit week.

Janey stond in de deuropening. 'Moet je dat zien!'

'Laat me even kijken,' zei ik, en ik kwam al overeind.

'Nee, nog niet,' zei Hannah terwijl ze me terug op de stoel duwde. Ze pakte een borstel en de haardroger en begon aan mijn haar te trekken, waarbij ze omhoog werkte van mijn nek naar de bovenkant van mijn hoofd. Ik wou dat ze ophield met aan me te zitten. Dat voelde op de een of andere manier bedreigend.

'Je doet me pijn,' klaagde ik.

'Wie mooi wil zijn, moet lijden,' antwoordde Hannah.

Janey trok een glitterige bustier aan, met hotpants en een lang gehaakt vest eroverheen. Ze begon haar oogleden te borstelen met glinsterende oogschaduw.

'En, wat vind je ervan?' zei ze, terwijl ze zich omdraaide.

'Wauw, heel erg J Lo,' zei Hannah. 'En nu zijn we klaar.'

Ik draaide me om, om mezelf in de spiegel te bekijken, en ik slaakte een kreetje. Hannah had mijn ogen helemaal zwart aangezet. Mijn haar stond in klitten alle kanten op. Het zag eruit alsof ik gevochten had, en zwaar verloren.

'Je lijkt Christina Aguilera wel,' zei Janey.

'Ik lijk wel een slettenbak,' zei ik.

Hannah rolde met haar ogen. 'Jeezes, Belinda, we hebben zo ons best voor je gedaan. Nu moet je niet vals worden.'

'Janey, zo ga ik echt niet uit. En zo zou jij ook niet uit moeten gaan,' zei ik, terwijl ik mijn blik over haar liet gaan.

'Ik vind dat ik er best leuk uitzie,' zei ze, en ze stak haar kin naar voren.

'Dat hele plunje,' zei ik, terwijl ik neerkeek op de kleren die ik aan had, 'dat ben ik niet, Janey. En dat ben jij ook niet. Misschien is dit Hannah's stijl, maar zeker niet de onze.'

'Misschien kun jij wel een persoonlijkheidstransplantatie gebruiken,' zei Hannah, terwijl ze haar handen in haar heupen zette.

'Ik had het niet tegen jou,' zei ik, terwijl ik me naar haar toe draaide.

'Dat is dan maar goed ook. Want als je het wel tegen mij had gehad, had ik je misschien een klap in je gezicht moeten geven.'

'Hou op! Allebei!' zei Janey. Ze pakte me bij mijn schouders en loodste me naar de rand van het bed.

'Hoor eens Bindy, we hadden Cara met ons mee kunnen vragen, vanavond, of iemand van de anderen, maar we hebben jou gevraagd. Alle anderen zouden in de wolken zijn als ze Hannah's kleren mochten lenen of als Hannah hun haar deed.'

'Waarom heb je dan niet een van die anderen gevraagd?' zei ik.

'Omdat ik jou erbij wil hebben. En ik wil dat je er leuk uitziet.' Ze glimlachte naar me. 'Je hoeft niet langer een grijze muis te zijn.'

DRIE

Ik probeerde in de taxi te stappen zonder dat de chauffeur de kans kreeg om onder mijn rokje te kijken, maar hij keek toch. En hij keek ook in Hannah's topje. Janey's topje was zo onbenullig dat er niet in te kijken viel en dus gaapte hij haar aan zonder zijn nek maar te hoeven uitrekken.

Ik zat op de achterbank en na een poosje werd ik licht in mijn hoofd door het gebrek aan zuurstof en de sterke geur van haarproducten. Ik begon het raampje naar beneden te draaien, maar Hannah werd zowat hysterisch. Ze beweerde dat het haar kapsel in de vernieling zou helpen, ook al zat zij vooraan. Ik liet het raampje dan maar op een kier staan en ging zo stijf rechtop zitten als ik maar kon zodat mijn gezicht vlak bij de spleet kwam.

Toen we bij het winkelcentrum uitstapten, wierp de taxichauffeur ons een glimlach en een knipoog toe. 'Heb je straks een lift naar huis nodig? Zal ik jullie mijn kaartje geven? Kom ik jullie hier weer oppikken, makkelijk zat.'

En toen – ik kon mijn ogen niet geloven – glimlachte Hannah terug, en ze pakte zijn kaartje aan en stopte het onder de bovenrand van haar broek. Nadat hij weggereden was, gooide ze het kaartje op de grond en daar moest Janey om lachen.

We liepen voorbij de winkels – Janey en Hannah voorop en ik slenterde achter ze aan. Ik voelde de wind op mijn huid op plekken waar ik het niet gewend was. Ik probeerde mijn rok een beetje naar beneden te trekken toen we de roltrap namen naar het bioscoopcomplex.

Voor de bioscoop lummelde een groepje jongens rond. Sommigen kenden we van school. De meeste jongens bekeken ons van kop tot teen – zelfs de jongens die hun vriendinnetje bij zich hadden. Zelfs de meisjes keken naar ons.

Ik wilde zo snel mogelijk langs ze heen schieten, maar Hannah en Janey liepen recht naar ze toe, glimlachend en heupwiegend alsof ze acteerden in een reclamefilmpje voor shampoo.

Nog geen tel later braken drie jongens zich los uit een grotere groep – Mitchell en Lucas, Hannah's vriendje van dat moment, en nog een jongen die James heette. Hij zat bij mij voor wetenschappen en Engels.

James is erg knap. Hij heeft donkerbruin haar en er zit een dot sproeten over zijn neus heen. Hij is wel een beetje vreemd. Hij loopt altijd met zijn schoolboeken te zeulen in een plastic boodschappentasje.

De anderen vormden twee paartjes en James kwam naar mij toe. Dat bedoelde Hannah dus toen ze had gezegd dat het iets 'voor stelletjes' was.

'Hallo, eh, Belinda. Je ziet er leuk uit, vanavond,' zei hij, terwijl hij zijn ogen even over mijn tieten liet gaan.

Ik vouwde mijn armen voor mijn borst.

'Het spijt me,' zei hij beschaamd.

Hij legde zijn arm om mijn middel en ik sprong geschrokken opzij.

'Oeps,' zei hij, terwijl hij zijn handen ophield.

De anderen stonden al in de rij voor een kaartje. Janey greep me bij mijn arm en sleepte me naar de plek waar zij stond te wachten. Een ouder paar dat achter haar stond, fronste de wenkbrauwen.

'Ze hoort bij ons. Ze is mijn boezemvriendin,' legde Janey uit.

'Dat zie ik,' zei de man, en zijn vriendin gaf hem een stomp tegen zijn arm.

Ik voelde het schaamrood naar mijn wangen stijgen. 'Je hebt nooit gezegd dat dit een afspraakje met jongens was,' fluisterde ik Janey sissend toe, en ik klonk helemaal als mijn moeder.

'Verrassing!' zei ze, en ze lachte. Mitchell kwijlde in haar nek.

'Janey!' zei ik.

'Wat?' vroeg ze, en ze glimlachte alsof ze het nog lekker vond ook.

James drong zich naast me in de rij en excuseerde zich bij het oudere stel. Toen we vooraan in de rij gekomen waren, kocht James kaartjes voor ons allebei.

'Ik heb niet zoveel geld bij me. Ik wist hier niks vanaf,' zei ik. 'Ik zal je morgen terugbetalen.'

'Zit daar maar niet over in. Misschien kun je 't wel op een andere manier goedmaken.' Hij gaf me een knipoog en giechelde nerveus.

Ik trok een rimpel in mijn neus en James werd zo rood als een biet. 'Wil je iets drinken of zo?' mompelde hij.

'Dankjewel. Een cola misschien.'

We stonden zwijgend in de rij die tergend langzaam opschoot in de richting van het drankstalletje. Nadat James drankjes voor ons had gekocht, volgden we de anderen de zaal in. Mitchell, Janey, Hannah en Lucas gingen in het midden van een rij zitten. Zowat vijf rijen hoger zaten de andere basketbalspelers.

James leidde me de trappen op, recht naar zijn makkers toe. Toen we bij de rij met Janey en Hannah gekomen waren, bleef ik staan. Maar James lette niet op mij, hij zwaaide naar de anderen zodat hij tegen me op liep en wat van mijn drankje morste.

'Dat gaat goed, Jimmy,' riep een van ze.

James negeerde hem zo goed en zo kwaad als dat ging. 'O jee, sorry. Zal ik een andere voor je kopen?'

'Nee, geeft niet.'

James liep zijdelings de rij door en plofte naast Lucas neer. Ik ging naast hem zitten en ik voelde mijn rok opkruipen. Ik mocht niet vergeten om als eerste op te staan voor de lichten weer aan gingen, anders kregen de mensen achter me een fantastisch zicht op mijn kont.

James probeerde een gesprek op gang te brengen. 'En, hou je van films?'

'Hangt van de film af,' antwoordde ik.

'Eigenlijk wel, hè,' zei hij.

Even later vroeg hij: 'En wat is jouw lievelingsfilm, dan?'

'Hoezo? Van alle films die ik gezien heb?'

'Ja.'

'Weet ik niet. Je zet me echt wel voor het blok. Wat is jouw lievelingsfilm?'

'Wat vond je van *American Pie*?' vroeg hij.

Ik keek naar beneden. 'Tja, dat is nu net de enige film waar ik ooit uit weggelopen ben.'

'O,' zei hij. 'Hij was ook behoorlijk stom, hè?'

'Wat ik ervan gezien heb, ja.'

De lichten werden langzaam flauwer. Godzijdank.

Een paartje dat de trap op kwam, begon sneller te klimmen om bij hun stoelen te komen voor het helemaal donker werd. Twee rijen voor ons bleven ze staan. De vrouw besloot met haar rug naar het scherm door de rij te waden zodat ik haar gezicht kon zien. Waarom had ze zich niet naar de andere kant kunnen draaien? Waarom had ze geen twee minuutjes later kunnen komen, als het al donker was? Waarom had ze geen andere bioscoop kunnen uitkiezen? Of een andere film? Waarom had ze die avond niet eens een video kunnen huren?

Op het allerlaatste moment, net voor ze zich om wilde draaien – net op het moment dat James beslist had om zijn arm om mijn schouders te slaan – keek ze op en ving ze mijn blik. Er zaten maar twee rijen tussen ons – er was geen mogelijkheid dat we de ander voor iemand anders zouden aanzien.

Ik verlegde mijn blik van haar naar de man waar ze mee was gekomen. Hij was langer dan ik me had voorgesteld, en jonger.

Ik keek weer naar haar. Ze stond nog altijd op dezelfde plek, met haar mond open. Het hele incident duurde maar een ogenblik, maar de man wist dat er iets fout zat. 'Wat is er, liefje?' vroeg hij.

Ze zei niets. Ze deed alleen haar mond dicht, draaide om haar as en ging zitten.

Zo, daar zaten we dus, mijn moeder en ik, op nog geen vijf meter van elkaar af, in de wetenschap dat we ergens binnen de twee uur zouden moeten opstaan en weggaan.

VIER

Uiteindelijk liep het niet eens zo slecht af. Ik had verwacht dat ze me naar buiten zou slepen, of dat ze in ieder geval iets zou dóén. Dat had mijn vader vast wel gedaan. Als hij me in die kleren had betrapt, had hij iedereen die erbij was vast op een strenge preek getrakteerd. En daarna had hij alle namen en telefoonnummers genoteerd om ook nog eens een hartig woordje met hun ouders te gaan praten. Mam draaide zich niet eens om. Zo gauw de aftiteling begon, maakte ze dat ze wegkwam.

De eerste golf van basketbalspelers stormde achter haar aan de trap af. Ze liepen haar bijna onder de voet. 'Kijk uit, zeg!' hoorde ik haar tegen een van de jongens sissen. James ging ook staan, net als Janey en Co. Ik bleef zitten waar ik zat.

'Waar wacht je op?' vroeg Janey.

Ik wees naar de trap.

'Wie is dat, Bindy?' vroeg ze, behoorlijk luid.

'Ssst!' zei ik, en ik verborg mijn gezicht in mijn handen. Alsof dat zou helpen.

'Wat?' fluisterde ze, maar tegen die tijd was mijn moeder al weg.

'Niks, het doet er niet toe,' zei ik. Ik vergat mijn rok naar beneden te trekken zodat de tweede golf basketbalspelers zowat uit hun dak gingen.

'Moet je dat zien!' zei een van ze.

Ik rukte aan de zoom, terwijl ik een kleur als vuur kreeg. James rolde met zijn ogen. 'Het zijn jongens. Niet op letten.'

'Kan me niet schelen,' zei ik. 'Ik wil naar huis.'

Zonder op de anderen te wachten, liep ik naar beneden, door de hal en de voordeur. Ik zette koers naar de rand van de galerij en ik wreef over mijn armen tegen de kou.

Een paar minuutjes later kwam James achter me aan.

'Mijn maats zijn naar binnen gegaan om op de flipperkast te spelen,' zei hij. 'Wil jij ook?'

'Waar is Janey?' vroeg ik.

'Daar,' zei hij, terwijl hij naar een drankenstalletje wees.

Het was donker en alle stalletjes waren dicht. Janey en Mitchell zaten aan een tafel op het binnenplein met hun armen om elkaar heen, te zoenen. Hannah stond een eindje verder tegen een muur aangeleund met Lucas tegen zich aangedrukt. Het was smerig. Ze leken net goedkope sloeries.

Ik draaide me van ze af. James stond pal voor me. Hij leunde naar voren, zijn gezicht vlakbij.

'Wat doe je?' vroeg ik.

'Ik wou… gewoon, ik wou je zoenen.'

'Doe maar niet,' zei ik, terwijl ik een stap opzij zette.

Hij zette ook een stap opzij zodat hij weer pal voor

me stond. 'Wil je met me Gaan, Belinda?' Hij leunde weer naar me over.

'Hou op!' zei ik.

'Waarmee?' vroeg hij. 'Wat doe ik fout? Ik heb toch een cola voor je gekocht en zo?'

'Ik kén je niet eens, James. En het enige wat jij van me weet is dat ik *American Pie* maar niks vond. En jij vond het wel goed. Wat hebben we dan met elkaar gemeen?'

'We hoeven ook niet meteen te trouwen,' zei hij.

'Op welk punt zitten we dan?'

'Ik weet het niet. We zouden kunnen zoenen. Je zou het zelfs lekker kunnen vinden. Daarna kunnen we nog altijd op zoek naar dingen die we gemeen hebben.'

'En als dan blijkt dat we niks gemeen hebben?'

Hij haalde zijn schouders op. 'Als we zoenen, hoeven we niet te praten.'

Ik begon naar de hal van de bioscoop te lopen.

'Waar ga je naartoe?'

'Ik ga mijn vader bellen. Ik wil naar huis.' En toen bleef ik ineens staan. Ik had geen geld.

James tikte me op mijn schouder. 'Wil je de mijne gebruiken?' Hij gaf me zijn mobieltje.

'Bedankt.'

Ik toetste snel het nummer in en drukte op Bellen.

'Ja-allo?' hoorde ik mijn vaders stem.

'Pap?'

'Hé, kleintje, wat is er?'

'Ik sta bij het winkelcentrum. Kun je me komen halen? Het is nogal een rottige avond geweest.'

'Wat doe je daar? Waar is Janey?' vroeg hij.

'Ze…' *Ze is haar horizon aan het verruimen.* 'Janey is samen met Hannah en nog een paar anderen. Ze gaat niet met ons mee naar huis. Kun je me komen halen? Snel?'

'Komt voor de bakker,' zei hij.

'En pap? Beloof me dat je niet gaat freaken als je me ziet, ja? Ik zeg het maar vast. Je moet weten dat dit niet mijn idee was.'

'Hmmm,' zei hij. 'Oké, ik zal mijn minst freakerige gezicht opzetten. Bindy, alles is toch goed met je?'

'Ja hoor.'

Ik gaf James zijn mobieltje terug. 'Bedankt.'

'Wil je graag dat ik hier samen met je wacht?' vroeg hij, terwijl hij hem in zijn zak stopte.

'Ik denk dat het beter is als ik in mijn eentje wacht. Mijn vader zou kunnen denken…'

James knikte. 'Ja, ik weet wat ik zelf zou denken. Wat ik dàcht. Maar ik laat je niet in je eentje wachten. Er zou wel eens iemand kunnen komen die je wilde oppikken, als je begrijpt wat ik bedoel. Als beschermer stel ik niet zoveel voor, maar het is wel beter dan niks.'

'Dat zal wel.' Ik haalde mijn schouders op.

We liepen de roltrap af, voorbij de drankstalletjes en daarna de trap af naar de straat. James stond naast me met zijn handen in zijn zakken en schuifelde wat met zijn voeten over de stoep.

Ik voelde me echt stom, zoals we daar stonden, zonder een woord te zeggen, en dus probeerde ik een gespreksonderwerp te vinden. 'Waarom doe jij je boeken altijd in een plastic tasje?' vroeg ik.

'Als ik dat niet doe, worden de tasjes gewoon weggegooid.'

'Ja, en?'

Hij haalde zijn schouders op. 'Het lijkt zo zonde om een tas te kopen als je toch overal van die plastic tasjes hebt rondslingeren.'

'Gaan ze dan niet stuk?'

James knikte. 'Dan pak ik gewoon een ander.'

Nu hij het zo voorstelde, leek het helemaal niet meer zo vreemd.

Alweer viel er een pijnlijke stilte. James haalde zijn mobieltje tevoorschijn en begon het van zijn ene hand naar zijn andere te gooien. Na een bijzonder krachtige worp, flikkerde het ding op de grond. Hij raapte het op, stopte het weer in zijn zak en deed of hij buitengewoon geïnteresseerd was in de auto's die langs de stoeprand geparkeerd stonden. Hoewel, misschien was hij echt wel geïnteresseerd.

'En, waar hou jij zoal van?' vroeg ik.

'Van basketbal. Maar ik lees ook wel eens.'

'Wat lees je dan?' vroeg ik.

'Voornamelijk fantasy of sciencefiction.'

'Ben je zo'n verstokte fan die gek is op Asimov of Arthur C. Clarke?' vroeg ik.

James grijnsde. 'Zie je wel? We hebben echt een paar dingen gemeen. Wil je me echt niet zoenen?'

Ik schudde mijn hoofd.

'Goed, maar je bent me wel een filmpje schuldig,' zei hij, terwijl hij naar me wees. 'En een telefoontje. En een cola.'

Even later hield mijn vader voor ons halt. Hij draaide het raampje aan de passagierskant open. 'Je bent het dus toch.'

'Dag pap, dit is James.'

'Hallo, jongeman.'

James leunde voorover en gaf mijn vader een hand. 'U moet wel weten dat ik niet aan uw dochter heb gezeten, meneer.'

'Mooi zo, James. Prima, hoor,' antwoordde hij, terwijl hij James' hand schudde. Hij keek me aan en zijn glimlach verdween. 'Stap in.'

Hij reed de weg op. Ik zag zo dat hij boos was. 'Waarom heb je me niet gezegd waar je was?'

'Ik wist het zelf niet eens!' protesteerde ik.

'Je had meteen moeten bellen. Als je plannen ineens veranderen, dan laat je me dat weten. Dat is de regel, kleintje.'

Terwijl ik mijn make-up weg boende onder de douche, belde hij met Janey's moeder om te zeggen dat ik veilig thuis was gekomen. Ze wist niet eens dat er iets aan de hand was. Janey had haar al een verhaaltje opgedist over hoe ik van iemand anders een lift naar huis had gekregen.

Ik vertelde pap niks over dat ik mam had gezien. Het leek erop dat ze allebei hun eigen levensverhaal hadden herschreven alsof de ander nooit bestaan had.

Het was werkelijk een rottige avond geweest. Een RA, zoals de Vernieuwde Versie van mijn beste vriendin zou zeggen.

VIJF

De volgende dag moesten we onze keuze voor een sportvak opgeven. Hannah en de andere meisjes hadden zich naar de voorste linie van de rij gemanoeuvreerd. Je moest snel zijn als je iets fatsoenlijks wilde. Janey en ik stonden er wat onverschillig bij. Het had ons nooit zo kunnen schelen welke sport we deden.

Toen we voor het eerst op de middelbare school kwamen, deden we zwemmen. We snapten niet waarom niemand anders zwemmen had gekozen, tot de temperatuur begon te dalen. Daarna deed ik iedere dag dat we sport hadden alsof ik een oorinfectie had, en Janey snoerde haar gipsverband om van toen ik in de derde klas haar arm had gebroken. Het paste niet meer zo goed, maar met al dat verband eromheen kon je niet meer zien dat het al doorgezaagd was.

In het tweede deel van de eerste middelbare hadden we voor hockey gekozen. Onze school had een vrij goede hockeyploeg en dus besliste Janey dat we alleen maar heel slecht hoefden te presteren (wat niet zo moeilijk was) zodat we op de bank terecht zouden komen en boter-kaas-en-eieren konden spelen. We hielden de stand bij en aan het eind van het seizoen had ik het van haar gewonnen met 512 tegen 426.

Ik dacht dat het deze keer precies zo zou lopen, en dus was ik heel verbaasd toen we afstevenden op de tafel waar IJsschaatsen op stond, iets wat iedereen wilde doen. 'Sorry, meisjes, deze groep zit vol,' zei de lerares.

Janey liep met haar vinger over de pagina en haar naam, Jane Madden, stond net onder die van Hannah Plummer op de lijst.

Ik liep de lijst keer op keer na, maar Belinda Grubb stond er niet bij.

'Kan er niet nog één iemand bij?' vroeg ik.

De lerares schudde haar hoofd. 'Het spijt me. Er zijn nog een paar plaatsen bij pingpong of yoga.'

Pingpong? Ik wist niet eens dat je pingpong kon kiezen. Wat konden we nog meer doen? Totemtennis?

'We kunnen natuurlijk yoga doen,' zei ik, terwijl ik me omdraaide. 'Dat is in ieder geval dicht bij huis zodat pap ons niet telkens hoeft op te halen.'

Janey zei daar niks op. Ik dacht ze nog altijd boos op me was omdat ik weggelopen was uit het winkelcentrum. Toen ik die ochtend aankwam, zaten zij en Hannah me met gekruiste armen op te wachten.

'Je hebt niet eens gedag gezegd of zo. We hebben iets moeten verzinnen om je niet in de problemen te brengen,' zei Janey.

'Dat vind ik nu zo lomp,' voegde Hannah eraan toe. 'En waar zijn mijn kleren, trouwens? Die spullen van mij zijn minstens honderd dollar waard, weet je. Zorg maar dat je ze morgen meebrengt.'

'Ik wil je kleren niet, Hannah,' zei ik.

Vanaf dat moment had Janey nauwelijks twee woorden tegen me gezegd.

En dus gingen we in de rij staan voor yoga. Toen we vooraan stonden, schreef ik mijn naam neer in keurige letters en gaf de pen aan Janey.

Ze pakte hem niet van me aan.

'Wat ga jij doen?' zei ik.

Ze keek naar een punt op de muur achter mijn hoofd. 'Ik denk dat ik het toch maar bij ijsschaatsen hou.'

'Maar er is niet genoeg plaats meer,' zei ik.

'Misschien valt er iemand weg en dan kun jij er later bij komen?' stelde ze voor.

'Wie valt er nu af voor sport? Het is verplicht!'

'Misschien dat er iemand zijn been breekt of zo.' Ze haalde haar schouders op.

Ik staarde haar aan. 'Melkvarken!'

'Melkvarken' was een gezegde dat we overgehouden hadden aan die keer dat we met mijn vader waren gaan kamperen. Kyle, Janey en ik kregen een gigantische ruzie omdat iemand kennelijk midden in de nacht was opgestaan en alle melk had opgedronken, zodat er niks meer over was voor bij de muesli. We wisten dat iemand het gedaan moest hebben omdat het lege pak in de vuilnisbak lag, compleet met een rand cacaopoeder. De booswicht had niet alleen alle melk opgedronken – en we hebben het hier over meer dan een liter – maar dan ook nog zo uit het pak. De beschuldiging wie het 'Melkvarken' was, werd van de een naar de ander geketst en sindsdien betekent 'Melkvarken' iemand die geen rekening houdt met anderen, een egoïst.

'Is het omdat ik je met boter-kaas-en-eieren heb verslagen?' vroeg ik. 'We kunnen net zo goed kamertjesverhuur spelen of galgje. En wat dat ophalen betreft, je kunt niet verwachten dat pap iedere keer speciaal voor jou komt voorrijden.'

Ze gooide haar haren over haar schouder. 'Dan krijg ik wel een lift van iemand anders,' zei ze. We liepen naar Hannah en de anderen toe. Ik ging niet zitten. Ik bleef geërgerd aan de rand van de groep staan. Ik zag James aan de andere kant van de zaal en hij zwaaide naar me.

'En wat is het voor haar geworden?' hoorde ik Hannah fluisterend aan Janey vragen.

'Yoga,' mompelde ze.

Het was dus allemaal vooraf gepland.

Hannah glimlachte liefjes naar me. 'Weet je, ik heb gehoord dat Cameron Diaz aan yoga doet, en Gwyneth Paltrow.'

'O ja?' sneerde ik. 'Ik heb hun namen niet op de lijst zien staan.'

Ik ging met mijn rug naar ze toe staan. James slenterde naar me toe terwijl hij in zijn plastic boodschappentas scharrelde. Hij grijnsde naar me en haalde er een boek uit. 'Daar ben je weer. Ik heb iets voor je meegebracht. Het is mijn lievelingsboek, dus je krijgt het niet van me, maar je mag het wel lenen.'

De Magiër. Pap had het ons jaren geleden voorgelezen, maar ik wilde James niet teleurstellen door hem dat te vertellen.

'Dan kan ik er maar beter goed voor zorgen,' zei ik, terwijl ik mijn vinger over de doorgesleten rug liet lopen. 'Bedankt, James.'

Hij duwde zijn handen diep in zijn zakken en bewoog ze toen naar voren en naar achteren zodat zijn tasje om zijn knieën stuiterde. 'Mag ik je iets zeggen?'

'Je doet maar,' zei ik.

Hij pakte me bij mijn elleboog en trok me een eindje mee zodat de anderen het niet konden horen.

'Het spijt me hoe ik gisteravond tegen je deed. Het is alleen...' Hij keek over zijn schouder. Hij zwaaide steeds sneller heen en weer zodat zijn tasje heftig tegen zijn benen aan bonkte. 'Ik denk de laatste tijd steeds meer aan, eh, meisjes. Nu ja, aldoor eigenlijk. Ik geloof dat het de hormonen zijn.'

Hij wierp me zo'n schichtige blik toe en daarna staarde hij ingespannen naar zijn schoenen. 'Ik weet niet wat ik tegen ze moet zeggen. En dan zeg ik stomme dingen. Ik lijk wel een idioot. Ik denk nooit dat ik er eentje zo ver zal krijgen om met me... te rotzooien.'

'Nou en?' drong ik aan.

Hij tilde zijn tasje op en begon het steeds strakker om zijn pols heen te draaien. 'Toen we gisteravond eenmaal aan de praat waren geraakt, was het best leuk, maar misschien zou je me kunnen... nu ja, je zou me kunnen zeggen wat ik moet zeggen, of je zou het me in ieder geval kunnen zeggen wanneer ik iets stoms zeg.'

Ik aarzelde. 'Dat zou ik kunnen doen, ja.'

Hij wierp me alweer een schichtige blik toe en ging door. 'Neem nu, ik stond net naar je te kijken en ik stelde me voor hoe je er in bikini uit zou zien. Kan ik zoiets tegen je zeggen? Ik bedoel, kun je zoiets doen?'

Ik bloosde en keek een andere kant op. 'Niet echt.'

Hij zweeg even, hield zijn tas op en liet hem afrollen. 'Wil je met me gaan zwemmen?'

'Nee bedankt, James.'

'O.'

We stonden daar met zijn tweetjes, allebei met een kop als een boei, en we keken elkaar niet aan.

'Maar we zijn nog wel vrienden, ja?' vroeg hij.

'Jawel, James.'

Hij knikte. 'Mooi zo. Nou ja, tot ziens dan maar.' Toen draaide hij zich om, gooide zijn tasje over zijn schouder en slenterde weer naar zijn vrienden toe.

ZES

Na school had ik Janey tenminste voor mezelf... nu ja, dat dacht ik.

Janey kwam al sinds de kleuterschool bij ons thuis. Mijn vader drijft een carrosseriebedrijf in een werkplaats achter ons huis. Hij is er dus altijd. Meestal moet Janey's moeder tot zes uur werken en dan komt ze Janey bij ons thuis halen.

Janey's moeder is een echte. Ze bakt. Ze maakt mega *Anzac*-koekjes, amandelkoek en zachte toffees. Vroeger bracht ze minstens één keer in de week een doos met zelfgemaakte lekkernijen en dan dronk ze koffie samen met mijn vader.

Toen we klein waren, maakte pap boterhammen met chocoladehagelslag voor ons klaar en met een glas melk erbij installeerde hij ons op de bank om tekenfilms te kijken. Daarna ging hij terug naar zijn werkplaats. We hadden een intercomsysteem in de keuken voor als we iets nodig hadden.

Toen we nog echt klein waren, konden we net niet bij het knopje komen en pap maakte een opstapje voor ons van een oude wielkast. Op een keer, toen we in de derde klas zaten, begon Janey me te pesten en ik sloeg met de afstandsbediening van de televisie op haar hoofd. Toen ze op het belletje wilde drukken, trok ik het opstapje onder haar weg. Zo kwam het dat ze haar arm brak.

Toen we eenmaal op de middelbare school zaten, waren we oud genoeg om voor onszelf te zorgen, maar Janey bleef bij ons thuis komen. We kregen geen boterhammetjes met chocoladehagelslag meer en toen aten we noedels of crackers met kaas.

De middag na het incident over de keuze van ons sportvak, installeerden we ons met een knabbeltje voor de tekenfilmpjes zoals we dat gewend waren, en ineens pakte Janey de afstandsbediening en zette de televisie op MTV.

'Kom, we gaan dansen,' zei ze. Ze kwam overeind en begon te kronkelen en met haar heupen te schokken zoals ze dat op de televisie deden.

Jaren geleden, toen we op tapdansles zaten, zetten we een CD op en dan verzonnen we samen een dansje, maar er zat altijd een verhaal in, zoals bijvoorbeeld dat we twee verdwaalde elfjes waren of een stel katten of zo. Schokken was er niet bij.

'We missen *Dexter's Laboratory*,' zei ik, terwijl ik de afstandsbediening terugpakte en weer van zender wisselde.

Janey liet zich weer op de bank ploffen. 'Wat ben jij een saaie trut, Bindy.'

Ze wiebelde met haar been en begon neuriënd aan haar vingernagels te plukken. Ik negeerde haar en zette mijn handen aan weerskanten van mijn gezicht als de oogkleppen van een paard, en voor ik er erg in had, was het tijd voor *Top Cat* en toen was ze weg.

Ik dacht dat ze naar het toilet was gegaan, maar toen *Top Cat* afgelopen was en *Looney Tunes* al een poos aan de gang was, was ze nog altijd niet terug. Ik ging op onderzoek uit. Ze was niet in de keuken of in mijn kamer, en ook niet buiten. Ik ging zelfs in de werkplaats van pap kijken. Geen Janey.

Uiteindelijk vond ik haar op een plek waar ik haar helemaal nooit zou gaan zoeken. Het was zo'n onwaarschijnlijke plek dat ik er niet eens ging kijken. Ik ontdekte haar alleen maar omdat ik haar daarbinnen hoorde giechelen. Janey zat bij Kyle op de kamer.

Ik deed de deur open en daar zaten ze, in het donker, over Kyles computer gebogen. *We hebben ze op de vlucht gedreven,* zei de pc.

'Dag snottebel,' zei Kyle, toen hij opkeek.

'Wat doen jullie?' vroeg ik.

'We spelen het *Ardennenoffensief*,' zei Janey. Zij bediende de controller, en ze keek niet eens op van het scherm.

'Kijk daar,' wees Kyle, 'daar heb je een kerel met een ananas.'

'Een wàt?' vroeg Janey.

'Een handgranaat. Snel! Snel! Oooo, je hebt mijn ventje gemold! Wat doe je toch?'

'Ik had hem niet gezien!' zei ze.

'Geeft niet. Daar kun je opnieuw opladen,' zei hij. En toen keek hij me weer aan. 'Ga je weg of kom je erbij?'

'Hoezo?' vroeg ik.

'Je staat in de deuropening. Daar kun je niet blijven staan,' zei hij. 'Dan valt er een schijnsel op het scherm en daar gaan kleine mannetjes van dood.' Daarna richtte hij zich weer tot Janey. 'Kleine mannetjes gaan niet dood van geweervuur, weet je, maar van schijnsel.'

Janey vond dat hilarisch.

Het enige wat er op tv was, was *The Jetsons*, en dat was oersaai, dus wilde ik wel een poosje naar het *Ardennenoffensief* kijken. Ik ging op de rand van Kyles bed zitten en keek toe hoe hij Janey leerde om ananassen te gooien tot haar moeder voor de deur toeterde.

De volgende middag deed ze niet eens alsof ze samen met mij naar tekenfilms wilde kijken. Ze liep recht naar de keuken, maakte twee porties macaroni met kaas klaar en in plaats van naar de woonkamer te komen, liep ze de gang in.

'Kom je?' vroeg ze, terwijl ze voor Kyles deur bleef staan.

Ik aarzelde en volgde haar de gang in, maar toen ik bij de deur kwam, zag ik haar een van de kommetjes (mijn kommetje!) aan Kyle geven!

'Melkvarken!'

'Nietes!' protesteerde ze met volle mond. 'Er staat nog een pakje in de kast. Je kunt wel lopen, dacht ik.'

Ik fronste mijn wenkbrauwen en liep terug naar de woonkamer om naar *Dexter's Laboratory* te kijken.

Sindsdien ging het de hele tijd zo. Na school verdween Janey meteen in Kyles kamer en na *Top Cat* ging ik bij ze zitten. Ik probeerde het spel een beetje te volgen, maar na een poosje ging ik gewoon op Kyles bed liggen lezen in het boek van James, terwijl ik mijn best deed om me niet op stang te laten jagen door hun geroep en getier, en er geen aanstoot aan te nemen dat zij zoveel lol hadden terwijl ik me het vijfde wiel aan de wagen voelde.

ZEVEN

Het had me niet moeten verbazen dat Janey op een tweede zaterdag bij ons langskwam. Ik deed de deur open, en daar stond ze op de stoep. Haar haren hingen in losse krullen en ze had make-up op. Ze had vast geoefend, want de laatste keer dat ze zich zelf had opgemaakt, zag ze eruit of ze een paar paintballs in haar gezicht had gekregen.

'Ik ga naar mijn moeder,' zei ik.

'Weet ik,' zei ze, terwijl ze me voorbijliep, de gang in.

'Wat ga je doen?'

'Ik ga uit met Kyle,' zei ze.

'Ga je Uit met Kyle?'

'Nee, suffie,' zei ze, terwijl ze met haar ogen rolde. 'We gaan naar een LAN. Om *Battlefield* te spelen.'

'O,' zei ik. Kyle had mij nooit gevraagd om naar een LAN te gaan.

Pap dook op uit de keuken. 'Janey!' Hij greep een haarlok beet en ging met zijn knokkels over haar hoofd zoals hij dat altijd deed.

'Hou op, zeg! Zo gaat mijn kapsel naar de bliksem!'

'Ssspijt me!' zei hij, terwijl hij haar losliet. Janey snoof en stampte de gang door naar Kyles kamer. Pap keek me aan met een verbaasde uitdrukking op zijn gezicht, alsof hij wilde zeggen: wat heeft ze?

'Geen idee,' antwoordde ik.

Kyle en Janey vertrokken naar hun internetcafé en toen ze bij de deur waren, draaide Kyle zich om. 'Voorzichtig, Bindy.' Dat zei hij altijd. Ik weet niet waarom hij zo'n tobberig type was geworden.

Na het incident in de bioscoop keek ik er écht niet naar uit om mam te zien. Ik had er even over gedacht om haar te laten weten dat ik niet kon komen omdat ik iets besmettelijks had, ebola of zo, maar in plaats daarvan zat ik alleen maar te hopen dat ze zou vergeten me op te halen, of dat ze misschien wel helemaal zou vergeten dat ze een dochter had.

Toen ze in haar blitse sportwagen voor kwam rijden en naar me grijnsde, nam ik aan dat we zouden doen alsof het hele voorval in de bioscoop er nooit was geweest. En dat vond ik prima.

'En wat zou je dit weekend eens willen doen, pluimpje?'

Ik snapte al niet waarom ze dat vroeg. Ze had haar plannetjes altijd al van tevoren klaar. En het zouden best leuke dingen zijn, tenminste als ik ze samen met Janey kon doen en niet alleen met mam. Maar mam wilde Janey er niet bij hebben. Ze zei dat ze al haar aandacht op mij wilde richten, maar eigenlijk bedoelde ze daarmee dat ze al mijn aandacht voor zichzelf wilde.

'Kan me niet schelen, mam, we doen wel wat jij leuk vindt.'

'Ik dacht dat we naar Wonderland konden gaan,' zei ze.

Ik kreunde.

'Wonderland kan toch best leuk zijn? En daarna zouden we naar de Blue Mountains kunnen rijden. Ze hebben daar van die prachtige oude pensionnetjes. We zouden iets lekkers kunnen eten en daarna blijven logeren. En dan zouden we morgen kunnen gaan winkelen als je dat wilt.' Ze draaide haar hoofd van me weg terwijl ze de auto het verkeer in loodste.

'Je zegt het maar.'

'Zou toch leuk zijn?' zei ze.

'Jij zult het vast fantastisch vinden,' bromde ik.

Een paar minuten lang zei mam niets, ze reed alleen maar. Daarna stopte ze langs de kant van de weg en ze vouwde haar armen over elkaar. Ze begon tegen me te praten met die snelle, sissende stem. Zo praatte ze vroeger ook tegen mijn vader. Ik dacht altijd dat dat was omdat ze niet wilde dat we hoorden waar ze ruzie over hadden, maar nu weet ik dat ze altijd zo praat als ze echt nijdig is.

'Ik heb nogal wat moeite genomen om een leuk weekendje met jou te plannen, maar dit lijkt me niet al te best van start te gaan, wel? Ik ben echt niet van plan om je ergens mee naartoe te nemen als jij zo'n... puber bent.'

Ik ben ook een puber, dacht ik. Maar dat zei ik niet. O nee, en al zeker niet wanneer ze die toon aansloeg.

'Moet ik de auto omdraaien en je terug naar je vader brengen? En denk niet dat ik dat nooit zou doen.'

Ik zat daar te kijken naar mijn handen die in mijn schoot lagen.

'Nou?'

'Nee mam, laten we maar naar Wonderland gaan en daarna naar de bergen.'

'En wat zeg je dan?'

'Dankjewel?'

'En wat nog meer? Hè?'

Ik wist niet waar ze op uit was, dus ik haalde mijn schouders op.

'Een verontschuldiging zou mooi zijn,' drong ze aan.

'Het spijt me, mam,' mompelde ik.

'Mooi zo. En nu wil ik een glimlach zien.'

In Wonderland deden we zo ongeveer alle attracties. Mam krijste en lachte als een gek. Toen we op de Bruisende Bergrivier gingen, maakte mam haar veiligheidsgordel los en ze leunde over de rand om bij het water te komen. Dat hoorde je natuurlijk niet te doen. Op het bord stond dat je op geen enkel moment uit het vaartuig mocht leunen. 'Dat water is ijskoud,' zei ze. 'Voel maar.'

Ik vouwde mijn armen over elkaar. Ik was niet van plan om een van mijn ledematen kwijt te raken voor wat stom water.

'Leuk, hè?'

'Ja mam,' antwoordde ik met een brede nepglimlach. *Dit is werkelijk geweldig.* Ik deed mijn best om geen... puber te zijn.

Ze liet een grote Barney Rubble in zijn bontjurkje een foto van ons nemen, en net voor hij afdrukte, kneep ze in mijn schouder. Flink hard. Lachen! Willen of niet, ik zou het leuk vinden.

Daarna reden we de bergen in. De schemering viel net in. Mam draaide alle raampjes naar beneden en snoof gretig de lucht op. 'Moet je die frisse lucht ruiken! Heerlijk toch? Diep ademen, pluimpje!'

Ik ademde diep in tussen mijn klapperende tanden door. Mijn trui lag in de koffer en mam wilde niet stoppen om hem te pakken. Ik was wat blij toen we bij het pensionnetje in Katoomba halt hielden.

'Is het niet schattig?'

Het was gebouwd rond 1920. Het had een groot, groen, hellend dak, stevige schoorstenen van baksteen en er liep een brede veranda omheen. Binnen had je enorme gangen, rijkelijk met tapijt bekleed. Het leek zo uit de set van *The Shining* geplukt. Wie weet? Misschien was dat wel zo.

REDRUM.

Het eten was lekker als je houdt van grote hompen vlees en stukgekookte groenten. Het gesprek was nogal voorspelbaar.

'Hoe gaat het op school?'

'Goed.'

'Haal je goede cijfers?'

'Ja, hoor.'

'Wat is je lievelingsvak?'

Kies een vak. Elk vak is goed. Ze weet er toch niks van.

'Wetenschappen.'

'O ja? Zie je wel, je hebt toch iets van mij.'

Stilte.

'Kyle lijkt meer op je vader.'

Nog meer stilte.

Kyle ging al jaren niet meer naar haar toe. Vanaf het moment dat hij haar niet langer mam noemde, maar 'Adele'.

'Vertel me over Kyle. Heeft hij een meisje? Hoe doet ie het op school? Doet hij iets van sport?'

Ik dacht dat ze er misschien verstandig aan zou doen om te wachten met de volgende vraag tot ik antwoord had gegeven, maar zo zat ze nu eenmaal niet in elkaar. Ze praatte over Kyle alsof hij een oude vriend was die verhuisd was en niet iemand die haar niet langer wilde zien.

Hoe spel je ontkenning ook alweer, mam?

'Hij doet het prima.'

Ze slaakte een zucht. 'Als kind was het een spring-in-'t-veld, en ineens werd hij zo ernstig. Maar als tiener zijn alle jongens ernstig, is het niet?'

Ik had niet het gevoel dat ze daarop een antwoord verwachtte, en dat was maar goed ook, want ik was het niet met haar eens – niet wat Kyle betrof, en ook niet wat jongens in het algemeen betrof. De meeste jongens die ik kende waren net zo ernstig als een rokje van tule.

'Wou je graag koffie?' vroeg ze, en toen fronste ze haar wenkbrauwen. 'Drink jij eigenlijk wel koffie?' Ze bloosde. Ze wist het niet.

'Ik heb genoeg gehad, dankjewel. Eigenlijk heb ik een beetje hoofdpijn. Ik zou wel meteen naar bed willen.'

We deelden een kamer – twee eenpersoonsbedden, netjes zij aan zij met een nachtkastje ertussen. Het was fijn om te gaan liggen, maar ik voelde mijn hoofd nog altijd tollen van de attracties van die dag.

'Ik ga toch nog even douchen,' zei mam. 'Je hoeft niet wakker te blijven.'

Mam liep naar de badkamer en ze nam haar mobieltje mee. Ik hoorde het water in de douche stromen, maar ik wist dat ze niet onder de douche zat. Ze belde met haar vriend. En ze kwam pas uren later naar buiten.

De volgende dag was nog niet zo kwaad. We namen een reusachtig warm ontbijt in de eetkamer van het pension en de rest van de ochtend liepen we wat winkels in en uit.

Mam kocht een katoenen hemd met lange mouwen voor Kyle en ze stopte het in mijn tas om het hem later te geven.

Ze had Janey beter mee kunnen laten komen, want ze wilde aldoor kleren kijken, krijsend van *oooh* en *aaah*. De laatste tijd had Janey het alleen maar over kleren. Ze wees me zelfs op schoenen in een tijdschrift.

Samen smoezen over schoenen.

We stopten bij de snoepwinkel van Leura en ik mocht alles nemen waar ik maar zin in had. Ik deed er stiekem een paar *Jaffa's* bij, in de hoop dat mam niet meer zou weten dat pap die zo graag lustte.

Toen ik ze hem gaf bij het thuiskomen, glimlachte hij en hij maakte mijn haar in de war, maar hij at ze niet op. Hij stopte ze in de kast achter de amandelkoek die Janey's mam onlangs had gebracht. Ik vroeg me af of hij ze niet wilde omdat hij wist dat mam ervoor betaald had.

Pap maakte een grote kom sla voor me klaar. Hij maakte altijd supergezonde dingen voor me klaar als ik een weekend bij mijn moeder was geweest. Ik vermoed dat hij wel wist wat voor bocht ze me liet eten, maar hij zei er nooit wat van. Geen van mijn ouders gaf ooit commentaar op de ander. Het was de meest beleefde, de meest stille echtscheiding ter wereld.

'Je ziet er moe uit, kleintje,' zei hij, terwijl hij de borden afruimde. 'Zullen we samen naar een film kijken?'

'We zouden ook even kunnen lezen,' stelde ik voor.

'Afgesproken,' zei hij. 'Jij mag kiezen als je wilt.'

Ik grijnsde. Terwijl ik de woonkamer inliep, schreeuwde ik over mijn schouder: 'Kyle!'

Hij gaf geen antwoord.

'Kyle!!'

Pap suste me vanuit de keuken. 'Je hoeft niet zo te schreeuwen. Sta gewoon op, loop naar Kyles kamer en dan zeg je: "Excuseer me, broertje, ik zou heel even je aandacht willen."'

'Wàààt?' kwam er als antwoord uit Kyles kamer.

Pap schudde zijn hoofd. 'Ik woon blijkbaar in een huis vol leeuwen.' Hij hield zijn handen op en krabde in de lucht alsof hij klauwen aan zijn vingers had. 'Brul. Brul.'

Ik grijnsde naar pap en toen legde ik mijn hoofd in mijn nek en ik haalde diep adem. 'Pap gaat iets voorlezen!!!!'

Ik koos een boek van Stephen King, *Harten in Atlantis*, en liep ermee naar de woonkamer waar pap alvast was gaan zitten. Kyle kwam naar binnen slenteren en ging breeduit in de fauteuil zitten.

'Die toch niet? Ik heb de film al gezien.'

'Het boek is beter,' verzekerde pap hem.

'Maar ik weet al wat ze gaan zeggen. Het zal helemaal fout zitten.'

'Ik zal je een stukje voorlezen dat niet in de film voorkomt. Zit gewoon tien minuutjes uit en als je 't niet leuk vindt, kiezen we iets anders. Afgesproken?'

'Afgesproken.'

Pap las ons altijd voor. Hij zegt dat hij me al voorlas toen ik nog in de wieg lag, en ik wil hem best geloven. Met het ouder worden zijn we daar niet overheen gegroeid. Alleen zijn de boeken dikker geworden.

Ik vond het heerlijk. In het begin zaten we in de woonkamer, en pap las de woorden hardop en hij deed stemmetjes na, maar stilaan, zonder dat ik er iets van merkte – net zoals wanneer je in slaap dommelt – kwamen we ergens anders terecht, waren we iemand anders en keken we naar een film die zich voor onze ogen ontrolde.

Voor ik naar bed ging, pakte ik mijn spullen uit en ik gaf Kyle zijn hemd. Hij gooide het in de kartonnen doos die hij in een hoek had staan. Sinds mam weg was gegaan, had hij al drie volle dozen met kleren en geschenken gedumpt in de liefdadigheidscontainers die naast de supermarkt stonden. Daar zijn ze er vast erg blij mee. Ik heb het mam nooit willen vertellen. Ze zou tegen me gaan sissen, ook al heb ik er niks mee te maken.

ACHT

Het zou vast een HSD worden, ook al was hij niet zo slecht begonnen. Eigenlijk begon de dag zelfs redelijk goed. Het was me na de lunch eindelijk gelukt een zitje op de bank naast de anderen te bemachtigen, helemaal aan het uiteinde. Janey en Hannah waren op de volgende bank gaan zitten, zodat ze wat konden scharrelen met hun vriendjes.

Een meisje dat Cara heette, zat tegenover me. Alle anderen waren verdiept in een tijdschrift. Ze deden niks anders dan praten over beroemdheden en hun kapsels en make-up en…

'Schoenen,' mompelde ik.

'Ja zeg, helemaal betoeterd,' zei Cara.

'Zullen we boter-kaas-en-eieren spelen?' vroeg ik.

Cara haalde haar schouders op. 'Waarom niet.'

Cara was behoorlijk goed in boter-kaas-en-eieren – veel beter dan Janey. Janey zette alleen maar kruisjes, en ze begon altijd in de rechter bovenhoek. Cara wisselde de hele tijd van kruisjes naar O'tjes en af en toe draaide ze het blad ondersteboven om het vanuit een andere hoek te bekijken, wat me danig van mijn à propos bracht. Ik moest echt nadenken als ik tegen Cara speelde.

Janey zat nog altijd naast me in de les. Hannah zat aan haar andere kant en het grootste deel van de tijd zat ze met haar rug naar me toe. Ik probeerde haar aandacht te trekken met een paar grapjes. Maar er kwam geen reactie en dus kneep ik in haar arm, en ik stak mijn pen in haar oor, waarop ze vreselijk kwaad werd en me verweet dat ik zo kinderachtig deed.

Na de middag hadden we sport. Ik zat in mijn eentje in de bus en ik las het boek van James. Toen we bij de yogazaal kwamen, verspreidden we ons allemaal over de ruimte. Ik zat aan de zijkant, nogal vooraan.

Tot mijn verbazing genoot ik van yoga. Het was echt ontspannend – veel te ontspannend. Het Hele Slechte Voorval gebeurde net toen ik van de Lotushouding overging naar de Zijdelingse Boog. Al mijn spieren voelden gerekt en ontspannen aan.

Mijn been hing in de lucht, ik liet de spanning los en – oeps! – ik liet nog iets anders vliegen.

Het was niet eens een stille wind, of een van die korte scheetjes die je kunt camoufleren met een kuch, of waarbij je kunt doen alsof je kleren een beetje ongelukkig over de vloer schrapen. Nee, het was veel en veel erger. Het klonk een beetje als een fluittoon.

Pfoe.

Er viel een stilte. En toen zei de yogalerares: 'Dat moeten boze geesten zijn.'

De hele klas begon te brullen. Ze rolden op hun rug van het lachen. Waarom kon niemand er eens eentje laten vliegen bij al dat geschater? Maar niemand liet er eentje vliegen, behalve ik.

Het was vreselijk.

Die avond aan tafel merkte mijn vader dat ik niks naar binnen kreeg.

'Wat is er aan de hand, kleintje?'

'Ik kan morgen niet naar school,' zei ik, terwijl ik de Thaise roerbaknoedels heen en weer schoof op mijn bord. 'Ik kan me daar gewoon niet meer vertonen.'

'Wat is er gebeurd?'

Er viel een lange stilte terwijl het incident zich wel duizend keer voor mijn geestesoog voltrok.

Ik keek hem aan. 'Ik heb een wind gelaten.'

Pap en Kyle staarden me allebei een ogenblik aan. 'Nou, èn?' zei pap. 'Dat doet toch iedereen?'

Kyle legde zijn vork neer. 'Moet je deze horen. Het is onzichtbaar en het ruikt naar wortelen. Wat is het? Een wind van een konijntje!'

'Je snapt het niet,' zei ik. 'Het was…'

Pfoe, pfoe, pfoe.

'Een luide wind.'

'En deze,' onderbrak Kyle me. 'Hoe weet je wanneer een clown een wind laat?' Hij keek ons grinnikend aan. 'Het ruikt gek!'

'Iedereen is het zo weer vergeten,' zei pap, terwijl hij Kyle negeerde.

'Oké, goed,' begon Kyle weer. 'Gaat over die kerel, snap je, en hij heeft nog geen seks gehad voor…'

'Heb je het over jezelf?' vroeg ik.

'Kyle, weet je wel zeker dat het een geschikte mop is?' vroeg mijn vader.

Hij dacht even na. 'Misschien niet. Maar zal ik hem toch maar vertellen?'

Pap schudde zijn hoofd.

'Goed, hij komt een meisje tegen, ja?' ging Kyle door.

'Nu niet, Kyle.'

'En...'

'Nu niet!'

'Ze...'

'Nu niet, Kyle!' zei mijn vader, terwijl hij zijn hand met een klap op de tafel liet neerkomen.

Kyle gaf het op, maar hij zat nog een hele poos in zichzelf te grinniken over hoe grappig we het hadden gevonden als hij hem toch had verteld.

'Misschien weten ze het morgen nog wel, maar volgende week is die wind van jou al lang vergeten,' verzekerde pap me.

Hij had het zo verschrikkelijk mis.

NEGEN

De volgende dag was gewoon om te gillen. Het was net zo erg als wanneer je droomt dat je in je blootje staat waar iedereen bij is.

Janey en Hannah stonden me met over elkaar geslagen armen op te wachten. Ze versperden me de weg. Cara en de anderen zaten in een kluitje achter ze op de bank.

'We vinden het niet meer zo prettig dat je voortaan nog bij ons komt zitten,' zei Hannah. 'Iedereen heeft het erover, Bindy. Iedereen.'

'Nou, en?' zei ik zwakjes.

Ik keek naar Janey, maar zij wilde me niet aankijken. 'Misschien is het beter als je een poosje ergens anders gaat zitten. Gewoon, tot het overgewaaid is,' zei ze.

'Oké,' zei ik, terwijl ik mijn tas pakte en hem op mijn rug zwaaide. Ik liep naar het grasveldje naast Blok B en wachtte tot de bel ging. Ik had altijd al gedacht dat het een prima plekje zou zijn om te zitten, en dat was ook zo. Het gras was zacht en de hoge bomen filterden het zonlicht. Janey en de anderen wisten niet wat ze misten daar op hun harde, houten bank.

Maar al dat gefilterde zonlicht kon mijn leven niet minder ellendig maken.

Wie aan het begin van de dag nog niet op de hoogte was geweest van mijn Wind, was tegen de middag helemaal bij. En als ze wilden weten wie het gedaan had, konden ze me makkelijk ontdekken te midden van het koor van scheetgeluidjes dat om me heen opsteeg als een krans van spuug.

Maar het ergste waren niet de scheetgeluidjes. Het ergste waren de jongens – ik had wel spontaan in rook willen opgaan of minstens een poosje naar een andere dimensie geprojecteerd willen worden – het ergste waren dus de jongens die floten en er op de een of andere manier in slaagden om dat geluid precies zo lang en zo hoog aan te houden.

Pfoe.

Ik had nooit eerder in mijn eentje op het schoolplein gezeten. Overal waar ik maar keek, zag ik meesmuilende gezichten en mensen die samen zaten te fluisteren, of te fluiten. Ik wilde niet langer om me heen kijken en staarde naar mijn schoenen. Ik zat een poosje mijn veters los te maken en weer te strikken en ik probeerde eruit te zien alsof ik druk bezig was, maar toen bedacht ik dat ze me misschien voor een van die kinderen uit Bijzonder Onderwijs zouden houden, of voor iemand die Fluitende Winden liet, en dus haalde ik mijn schrift van wetenschappen tevoorschijn en begon marges te trekken met een liniaal.

Ik had Hannah's kleren meegebracht in een tas. Ze had me niet de kans gegeven om ze haar terug te geven op het schoolplein, en toen ik ze haar in de klas gaf, deinsde ze achteruit alsof ik helemaal onder de vleesetende Mexicaanse vliegen zat. Toen ik weer op mijn stoel zat, kneep ze haar neus dicht en tilde de tas op met haar vingertoppen om hem naast haar rugtas te laten neerploffen.

Janey keek me niet eens aan. Ik hoorde een van de anderen zeggen: 'Ik snap niet hoe jij ooit bevriend kon zijn met haar.' Waarop zij antwoordde: 'Ik weet het. Ze is zo jakkes.'

Dat was het dieptepunt. Dat was officieel DEDVML, De Ergste Dag Van Mijn Leven.

Ik vroeg of ik even de klas uit mocht en ik liep naar de meisjestoiletten om even te gaan janken. Ik bleef in een van de laatste hokjes zitten tot de bel ging en toen wachtte ik nog even, tot mijn ogen niet meer zo rood waren.

In de pauze en tijdens de lunch nam ik mijn plaats bij Blok B weer in en ik las het boek van James en probeerde niet te letten op wat de mensen zeiden wanneer ze langs me heen liepen.

En het was heus niet alleen maar die ene dag. De volgende dag ging het door en de dag daarop, en de dag daarop. Het leek wel eeuwig te zullen duren.

De volgende keer dat we sport hadden, ging ik niet naar yoga. Ik deed alsof ik me niet lekker voelde en dus ging ik naar de ziekenboeg. De dame van kantoor deed of ze me geloofde en omdat het al zo'n lange tijd geleden was dat iemand nog vriendelijk voor me was geweest, moest ik er nog meer om huilen.

Ik las *De Magiër* uit en in de volgende les wetenschappen liet ik het boek op de bank van James vallen en liep toen door. Ik dacht dat hij misschien een pedante opmerking zou maken, maar dat deed hij niet. Hij pakte het boek ook niet met zijn vingertoppen vast, hij schoof het in zijn plastic boodschappentas samen met de rest van zijn boeken, en toen ging hij door met werken.

Tijdens de lunchpauze kwam hij naar me toe geslenterd en hurkte bij me neer.

'Hallo, Winderige Bindy,' zei hij.

'Ga weg,' zei ik, zonder op te kijken.

'Ik heb een nieuw boek voor je meegenomen.'

'O ja?' zei ik, terwijl ik mijn hoofd optilde.

'*Zilverdoorn*. Heb je het gelezen?'

Ik schudde mijn hoofd. Deze keer had ik het echt niet gelezen.

Hij ging naast me zitten. 'Het is niet zo goed als *De Magiër*. Ik heb de hele serie. Wil je het lezen?'

'Bedankt, James.'

'Graag gedaan, meid. Nu ik weet dat je geleende boeken ook terugbrengt.'

Ik draaide het boek om, om de flaptekst te lezen.

James liet zich op zijn kont vallen, vouwde zijn benen over elkaar en daar zat hij, met zijn ellebogen om zijn knieën gehaakt. 'En, wat is er aan de hand?' vroeg hij.

'Je weet best wat er aan de hand is,' zei ik.

'O, dat,' zei hij. 'Waarom heb je je hand niet opgestoken?'

'Hoezo?'

'Je weet wel, zoals je bij het surfen doet als je aan het verdrinken bent. Ik was je wel komen redden.'

O, ja, natuurlijk. Toen ik helemaal in mijn dooie eentje midden op het schoolplein zat, had ik met mijn arm moeten zwaaien. Dat was pas een oppepper geweest voor mijn sociale status. Waarom was ik daar zelf niet op gekomen?

Ik haalde mijn schouders op. 'Niet aan gedacht.'

'Ik weet hoe belangrijk jij het vindt dat we dingen gemeen hebben,' begon hij. En toen vertrok zijn gezicht omdat hij zich zo intens concentreerde. Hij liet zijn hoofd op zijn borst vallen. Ik zag zijn wangen vuurrood worden. Hij zag eruit alsof hij zich niet lekker voelde, alsof hij iets aan zijn hart zou krijgen.

'James? Is alles goed met je?'

Even later helde hij naar één kant over, tilde zijn kont half op en liet een korte, scherpe *prrrt*.

'Oef!' Hij zwaaide zijn hand voor zijn neus en grijnsde. 'Zo zie je maar. Nu hebben we nog iets gemeen. Kunnen we dan nu zoenen?'

Janey was niet meer bij me thuis geweest sinds die Fluitende Wind.

'Waar hangt Janey de laatste tijd uit?' vroeg Kyle na school terwijl hij een stuk van mijn toast met kaas jatte.

'Ze vindt me niet langer aardig,' zei ik.

Hij gromde wat en verdween toen naar zijn kamer. Na een poosje deed hij zijn deur open en riep: 'Bindy!'

Hij had me in geen tijden Bindy genoemd. Hij zei altijd pukkel, of puistenkop, of snottebel of snotkop.

'Wat?' schreeuwde ik terug.

'Wil je *Battlefield* met me komen spelen?'

'Neu,' riep ik.

Hij kwam naar me toe geslenterd. 'Heb je geen zin in avontuur? Je hoeft alleen maar te tikken en te klikken, ik denk dat je 't wel leuk zult vinden. De tekeningen zijn helemaal in 3 D. Het lijkt net een film, alleen zit je er middenin.'

Ik probeerde me te herinneren wanneer Kyle me voor het laatst had voorgesteld om iets samen met hem te doen. Dat moest zowat drie jaar geleden zijn.

'Oké,' zei ik.

'Wil je wat popcorn maken?'

Ik glimlachte. Dat was iets wat we vroeger altijd deden. Bergen popcorn maken en dan naar Disneyfilmpjes kijken. Kyle vond er niet zo veel aan, maar hij keek mee omdat hij wist dat ik ze leuk vond.

We speelden urenlang, en het was echt leuk om de puzzels en tips te achterhalen. Na een poosje zei Kyle: 'Janey blijft niet weg om jou, hoor.'

'O jawel, ze heeft nieuwe vriendinnen,' bromde ik. 'Ze vindt mij jakkes.'

'Ik schat dat het eerder met mij te maken heeft.'

'Wat bedoel je daarmee?' vroeg ik.

Kyle staarde naar het scherm. Het felle licht wierp schaduwen over zijn gezicht.

'Die dag dat we naar het internetcafé zijn gegaan – toen jij naar Adele was – hebben we ruzie gehad.'

'Wat voor ruzie?' vroeg ik.

Kyle keek neer op het toetsenbord. 'Ze was, nu ja, ze was zo ongeveer mijn meisje.'

Ik ging achterover zitten in mijn stoel.

'Ik weet dat ze jouw vriendin was, maar er was kennelijk niet zoveel meer wat jullie samen deden, en ze bleef maar in mijn buurt rondhangen en ze lachte om al mijn grappen. We konden echt goed met elkaar opschieten. Ze legde haar hand op mijn arm, of op mijn schouder, en ze botste de hele tijd tegen me aan. Ze zei dat we er niks van moesten zeggen, om jou, zie je, en dus zei ik niks. Maar de dag dat we naar het internetcafé gingen, toen ze daar aankwam en er alleen maar jongens zaten… Er komen haast nooit grieten. Ze had zich helemaal opgedoft en ze zag er leuk uit, en dus kreeg ze nogal wat aandacht. Ze vond het heerlijk. Ze bleef maar paraderen en met haar heupen wiegen, en ze ging bij iedereen op schoot zitten en zo. En dus zei ik dat ze niet langer mijn meisje kon zijn als ze zich zo gedroeg, als een… slet.'

'Heb je haar gezoend?' vroeg ik, ook al wilde ik het eigenlijk liever niet weten.

Kyle knikte. 'Daarna niet meer, maar daarvoor wel.'

Ik duwde mijn stoel weg van de tafel, niet alleen omdat hij mijn beste vriendin van me had gejat, maar ook omdat hij haar al van kindsbeen af kende. Dat soort gevoelens hoorde hij niet te hebben voor haar.

'Ik weet het. Het was stom van mij,' zei hij. 'En het ergste is, dat ze het niet waard is, voor ons allebei niet. Want we zijn familie en nu is er *iets* tussen ons – iets verkeerds – en ze zit er niet eens over in hoe we ons daar alle twee bij voelen.'

Kyle staarde me aan. 'Zeg eens eerlijk, Bindy, was jij dat Melkvarken?'

'Nee.'

'Ik ook niet, met de hand op mijn hart. Dan moét het Janey wel geweest zijn. Het ligt in haar aard. Zij is het Melkvarken – en dat zal ze altijd blijven.'

Ik had altijd al vermoed dat het Janey was, niet omdat ik dacht dat Kyle daar niet toe in staat was, maar omdat hij er niet zo stiekem over zou hebben gedaan. Hij zou ons wakker gemaakt hebben. Hij zou om onze tent heen hebben gerend en geroepen: 'Haha! Nu hebben jullie geen melk meer!'

Ik voelde een knoop in mijn maag.

'We moeten haar klein krijgen, dat is wat we moeten doen.'

'Dit is geen stom computerspelletje, Kyle,' snauwde ik.

Hij schudde zijn hoofd. 'Nee, ik bedoel dat we haar niet alles voor ons mogen laten verpesten. Want jij blijft voor de rest van mijn leven mijn kleine zusje en zij komt gewoon even langs. Als we een paar jaar verder zijn, zullen we tegen elkaar zeggen: 'Welke Janey?'

Dat maakte me bijna aan het huilen. Ik voelde mijn keel dik worden. Ik wilde helemaal niet zeggen: 'Welke Janey?' Niet dat ik het gepland had of zo, maar ik nam gewoon aan dat we altijd boezemvriendinnen zouden zijn, of in ieder geval goede vriendinnen. Nu zag het ernaar uit alsof ik helemaal in mijn eentje zou eindigen en mijn hele stomme leven aldoor mijn veters zou losmaken en weer strikken om iets te doen te hebben.

TIEN

M am kwam me die zaterdag al vroeg oppikken. 'Wat zou je dit weekend graag willen doen, klein-tje?' vroeg ze me met een brede glimlach toen ik in de auto stapte.

'Alles wat jij leuk vindt, mam. Maakt me niet uit.'

'Ik had gedacht dat we naar zee konden gaan. Er is daar een schattig vakantiedorpje bij een meer. Ik heb een hutje voor ons geboekt. Er is een kookhoek, dus zullen we onderweg iets te eten moeten kopen. Misschien kun jij onder het rijden een lijstje maken? Ik geloof dat er een blocnote in het handschoenkastje zit.'

Ik weet niet wat ik in dat handschoenkastje verwacht had – een blocnootje, uiteraard, en misschien een straten-atlas. Maar wat ik helemaal niet verwacht had, was een paar handschoenen. En daar kwamen ze ineens naar me toe geschoten – mannenhandschoenen – toen ik het luik open klikte.

'O, mijn golfhandschoenen. Gooi ze maar achterin.'

Ik vroeg me af hoe lang ze nog zou doorgaan met liegen. Tenslotte had ik haar vriend gezién bij het inci-dent in de bioscoop.

'Ik wist niet dat je golf speelde,' zei ik.

'O ja, al een poosje. Het is erg goed voor de conditie. Al die buitenlucht. Misschien probeer ik wel een spelletje te versieren – als we daar tijd voor hebben.'

Ik durfde er duizend miljard dollar op te verwedden dat daar geen tijd voor zou zijn. Ik gooide de handschoenen over mijn schouder en leunde weer voorover, op zoek naar een blocnote.

'Even kijken,' begon ze, 'brood, melk, boter, eieren. Denk je dat ze ook koffie en thee hebben? Dat zal wel. En iets voor vanavond. Wat zou je willen eten?'

'Misschien kunnen we Chinees laten brengen?' stelde ik voor.

'Of een pizza. Wat dacht je daarvan? En we kopen ook chocola.' Ze glimlachte geforceerd.

We stopten bij een winkelcentrum voor de snelweg, om onze voorraad in te slaan. Mam kocht een paar CD's voor me, voor onderweg. De auto zoefde weg en ik legde mijn voeten op het dashboard en tokkelde het ritme met mijn tenen.

'Hoe gaat het op school?'

'Goed.'

'Haal je goede cijfers?'

Ik haalde mijn schouders op. 'Gaat wel.'

'Mooi zo.'

Rijden, almaar door rijden. Ik trok een pakje chips open en hield het zakje op voor mam. Ze haalde er een handvol chips uit en legde ze in haar schoot.

'Woont oma hier niet ergens in de buurt?' vroeg ik.

Vroeger, toen we klein waren, gingen we wel eens naar

oma toe. Dan maakten Kyle en ik ruzie op de achterbank tot mam ermee dreigde om ons uit de auto te zetten en ons aan de kant van de weg achter te laten. We
hebben het nooit zo ver durven te drijven om te kijken
wat ze zou doen.

Op een keer bracht Kyle zijn vriend Sean mee. Net
toen we over de Mooney Mooney-brug reden, begon
Sean te zingen van 'Ik ken een liedje waar je gek van
wordt, gek van wordt, gek van wordt. Ik ken een liedje
waar je gek…' Verder kwam hij niet, want mam remde
en zette hem uit de auto.

Ze reed helemaal tot de volgende afrit voor ze terug-
reed, en toen we Sean even later oppikten, huilde hij zo
hard dat we hem weer naar huis moesten brengen. Daarna nam Kyle nooit meer een vriendje mee.

'Oma woont toch ergens hier in de buurt?' herhaalde
ik.

'Vroeger, ja.'

'Is ze verhuisd?'

Geen reactie.

'Waar is ze dan naartoe?'

Ze raapte een paar chips op en stopte ze in haar mond.

'Mam? Waar woont oma nu?'

'Je oma is dood.'

Ik draaide mijn gezicht met een ruk naar haar toe.
'Hoezo, dood?'

Mam wierp me een blik toe en ging toen verzitten in
haar stoel.

'Wil je zeggen dat oma gestorven is, en dat je me daar
niks van gezegd hebt?'

'Het ging allemaal zo snel. Ze was niet ziek of zo. Ze heeft een hartaanval gekregen.'

'Waarom heb je me daar niks van gezegd?'

Mam zei niets.

'Was er een begrafenis?' vroeg ik.

'Tuurlijk was er een begrafenis!'

'En waarom zijn wij dan niet gegaan?'

'Omdat het op een schooldag viel.'

'We konden toch wel een dagje vrij nemen om naar de begrafenis van oma te gaan.'

Mam keek in de zijspiegel, klaar om in te halen. 'Oké, dat was misschien een vergissing van me. Maar wat gebeurd is, is gebeurd.'

Ik leunde voorover en zette de muziek uit.

'Ze is wel dood, mam!'

Haar gezicht vertrok een heel klein beetje. Zo meteen zou haar stem die sissende klank krijgen.

'Doe nu niet alsof jullie zo dik met elkaar waren,' zei ze. 'Je hebt in geen tijden naar haar gevraagd. Ik snap niet waarom je er zo'n drama van maakt.'

Ik schudde mijn hoofd. 'Je ziet me om het andere weekend en je denkt er niet aan om me te zeggen dat oma gestorven is?'

Ze staarde naar de weg. Ik zag haar met haar ogen knipperen achter haar zonnebril. Ze perste haar lippen op elkaar.

'Denk je niet dat we af en toe eens met elkaar moeten pràten, mam? En dan bedoel ik niet dat vluchtige geëmmer over hoe het op school gaat en zo. Nee hoor, ik heb het over een echt gesprek. Zoals over dat vriendje van je

– hoe lang zijn jullie al samen? Drie jaar? Vier? En ik weet nog geeneens zijn nààm. Vind je het zelf niet stom, al dat "lekker samen op weekend"-gedoe? Waarom doen we überhaupt nog de moeite? En de bioscoop, mam? Gaan we doen alsof we elkaar niet gezien hebben?'

Mam ging ineens op de rem staan. Ik zette me met mijn hand af tegen het dak. De auto zwenkte uit naar links, naar rechts en toen weer naar links, voor hij tot stilstand kwam in de berm. Mijn hoofd kwam met een bons tegen de achterkant van mijn stoel terecht.

Ze draaide zich naar me toe en begon te sissen. 'Je was heus niet zo dik met je grootmoeder. Je hebt haar maar een paar keer ontmoet en sinds je vader en ik uit elkaar zijn, heb je haar niet één keer gezien. Dit is de eerste keer dat je naar haar gevraagd hebt. Ik zag er echt het nut niet van in om je een dag van school te halen en je mee te slepen naar een begrafenis zodat je helemaal van streek zou zijn om iemand die je niet eens kende. En ten tweede: nee, ik vertel je inderdaad niks over wat er in mijn privéleven gebeurt, maar ik veeg je kont ook niet meer schoon als je naar het toilet bent geweest. Er komt een tijd dat je opgroeit en dat je je als een volwassene begint te gedragen. En als je volwassen bent, heb je recht op een beetje privacy.'

Ik zag overal roze vlekken op haar wangen.

'Moet jij eens goed luisteren, jongedame. Ik doe heel hard mijn best om iets leuks met je te doen wanneer ik je zie. Ik neem je mee naar plaatsen waar het leuk is, ik koop leuke spullen voor je, maar de laatste tijd krijg ik alleen maar misprijzen van je. Dat hoef ik niet te pikken, en dat ga ik ook niet doen. Heb je dat begrepen? Ik kan zo terugrijden en je weer naar je vader brengen. En denk maar niet dat ik dat toch niet zal doen.'

Stilte. Mam ademde heftig in en uit, met haar neusvleugels wijd opengesperd. Een vrachtwagen denderde langs en de hele auto wiegde zachtjes van de ene naar de andere kant.

'Breng me dan maar terug, want ik wil toch niet met je uit,' schreeuwde ik.

Ze gaf plankgas en we raasden over de snelweg. Bij de volgende afrit draaide ze de auto en begon in de andere richting te rijden. Ik keek naar de snelheidsmeter.

'Mam, je rijdt veel te hard. Probeer je me soms dood te rijden?'

'Nog één woord van jou en ik laat je achter aan de kant van de weg. Kun je lopen,' zei ze door haar opeengeklemde tanden. Ze ging niet langzamer rijden.

Ik vouwde mijn armen over elkaar en keek door het raampje. Na zowat tien minuten leunde ik naar voren en ik zette de muziek weer aan.

Mam raasde over de Pacific Highway als een rally-rijder. Bij de verkeerslichten trok ze op als een gek en ze zwenkte tussen de andere auto's door. Toen ze voor ons huis halt hield, klom ik uit de auto en deed het portier met een klap achter me dicht. Ik draaide me niet eens om, om haar te zien wegrijden, maar ik hoorde haar wel. Ze was waarschijnlijk witheet, want ze liet een vet rubberspoor achter zich.

Ik had me altijd afgevraagd wat Kyle en pap deden wanneer ik weg was. Het leek altijd alsof ze te gekke films hadden gezien, en ongelooflijk lekker hadden gegeten en in een deuk hadden gelegen om de moppen die ze elkaar vertelden.

Ik was in geen jaren om het andere weekend thuis geweest en ik had het niet beter kunnen treffen als ik het erom had gedaan.

ELF

'Hoe kom je ineens terug, lieverd?' vroeg pap, toen ik de gang door kwam banjeren. Hij stond in de keuken de vaat af te drogen.

'Oma is dood,' zei ik, terwijl ik mijn tas op de grond smeet en me in zijn armen stortte.

'O, Bindy,' zei hij, terwijl hij klapjes op mijn hoofd gaf. 'Wat is er gebeurd?'

'Ze heeft een hartaanval gehad. Ze is al eeuwen geleden gestorven en mam heeft er ons niks van gezegd.'

'Wat is er?' schreeuwde Kyle uit zijn kamer.

'Je kunt maar beter even hier naartoe komen,' riep mijn vader over zijn schouder. Hij veegde mijn gezicht schoon met een theedoek. Hij was vochtig en rook naar kookvet en smerig afwaswater.

'Jakkes!' zei ik, terwijl ik zijn hand wegduwde.

Hij hield de theedoek bij zijn neus, snoof eraan, bromde iets en gooide hem toen over zijn schouder. Daarna tilde hij zijn T-shirt op en veegde met de zoom over mijn gezicht.

'Pap!'

'Wat doe jij hier?' vroeg Kyle, toen hij met gefronste wenkbrauwen uit zijn kamer tevoorschijn kwam. 'Heb je soms mot gehad met Adele?'

'Oma is dood,' zei ik.

'O,' zei Kyle. 'En ze was nog wel mijn lievelingstachtigjarige. Wat is er met haar gebeurd?'

Ik legde uit wat er in de auto tussen mam en mij was voorgevallen. Ik vertelde zelfs dat ze me in de bioscoop had gezien, maar ik zei niet dat ik met een vriendje was, maar met een vriendin omdat ik niet zeker wist hoe pap dat op zou nemen.

Pap warmde een portie lasagne voor me op en we gingen met zijn drieën in de woonkamer zitten.

'Wat herinner je je nog van je grootmoeder?' vroeg hij.

'Zalmkleurige pied-de-poule,' zei ik, 'en beige *Polyanna*-schoentjes.'

'Kyle?' drong hij aan.

Kyle krabde zich op het hoofd. 'Ze rook altijd een beetje duf – naar talkpoeder of zo.'

'Jullie grootmoeder was een fatsoenlijke vrouw,' zei pap. 'Ze genoot erg veel aanzien. En ze had fantastische kippen waar ze allerlei prijzen mee won.'

'Je meent het niet,' zei Kyle.

Pap schudde zijn hoofd. 'Echt waar. Ze was erg gezien als kippenfokker. Belgische krielkippen. Gewoonlijk deed ze mee aan de paaswedstrijd. Toen was dat nog bij het Centennial Park. We gingen er altijd heen toen jullie nog kleuters waren om naar oma's kippetjes te kijken. Weet je dat nog?'

Ik schudde mijn hoofd.

'De haantjes zagen eruit of ze gevederde vestjes droegen. Oma noemde ze haar "heertjes". "Ik moet nog even voor mijn heertjes gaan zorgen," zei ze dan. Weet je nog wat ze ons voorzette als we bij haar op bezoek gingen?'

'Nee,' zeiden Kyle en ik tegelijk.

'Een omelet.'

We lachten.

'Echt waar! En biscuitgebak. En schuimgebakjes. Ze kende waarschijnlijk honderd verschillende gerechten met eieren erin. Die hield ze bij in een groot plakboek in de keuken, naast de telefoon. Zo ging dat in die tijd. Ze pluisden de vrouwenbladen uit om er de recepten uit te knippen. Toen stonden er nog recepten in vrouwenbladen en geen artikelen over hoe je het perfecte orgasme kunt bereiken.'

'Pap!' protesteerde ik.

'Dat is zo! Dat doen ze echt! Kijk maar na, de volgende keer dat we naar de supermarkt gaan.' Hij wreef over zijn kin. 'Jullie oma vond jullie geweldig.'

Daarna vertelde pap ons over zijn ouders en over de stad waar hij opgroeide. Het was net als al die keren dat hij ons een verhaal voorlas. Ik had het gevoel alsof ik er zelf bij was.

Net toen ik een glas water voor mezelf inschonk om mee naar bed te nemen, werd er op de deur geklopt. Pap fronste zijn wenkbrauwen. 'Wie kan dat zijn? Het is al na elven.'

En toen hoorden we de voordeur opengaan en voetstappen in de gang.

'Kyle, heb jij de deur opengedaan?' zei pap.

Kyle kwam achter ons in de deur van zijn kamer staan. 'Hadden jullie het tegen mij?'

'Er is iemand in huis,' fluisterde pap. 'Bindy, ga naar je broer toe. Doe je deur op slot, jongen. En kom niet uit je kamer voor ik het zeg.'

'Als het dieven waren, hadden ze vast niet geklopt,' zei Kyle.

'Doe wat je gezegd wordt,' zei pap, terwijl hij naar hem wees. Pap graaide wat in het rond en pakte toen wat het dichtst bij was – een stoffer. Toen sloop hij door de keuken en gluurde om de hoek.

We hoorden een vrouwenstem op de gang. 'Is dit wat je supervisie noemt?' De stem kwam dichterbij. Kyle en ik staken ons hoofd om de hoek zodat we ook iets konden zien.

Janey's mam kwam recht onze woonkamer binnenlopen. Een eindje achter haar aan, voorover gebogen, onduidelijk mopperend en vaalgroen van kleur, kwam Janey.

'Hoe noem je zoiets, John?' krijste Janey's moeder, terwijl ze Janey de keuken in sleepte.

'Elizabeth! Wat doe jij hier?' vroeg pap.

'Ze is dronken!'

Alsof Janey daar een of ander bewijs voor wilde leveren, leunde ze voorover en gaf over op de keukenvloer.

Wie is er nu bah? dacht ik bij mezelf, maar dat zei ik niet hardop.

'Zie je wel?' zei Janey's moeder.

'Ja hoor,' zei mijn vader, 'die meid is dronken.'

'Jij had haar onder je hoede!'

'Helemaal niet.'

'Ik had meer van je verwacht, John. In hemelsnaam!'

'Elizabeth,' zei mijn vader rustig, 'Janey is hier niet geweest.'

'Wat zeg je nu? Ze komt hier al van toen ze vijf jaar oud was.'

'Ja, maar de laatste tijd niet meer. De meisjes hadden ruzie. Ze is in geen weken meer langs gekomen.'

'O,' zei ze. Ze pakte Janey bij de arm. 'Je hebt tegen me gelogen! Hoe lang lieg je me al voor, juffie?' Janey zwiepte heen en weer als een gebroken tak.

'Het lijkt me niet zo'n geschikt moment om haar dat te vragen,' zei mijn vader. 'Waarom breng je haar niet even naar Bindy's kamer zodat ze kan gaan liggen?' Daarna draaide hij zich naar mij toe. 'Kun jij het onderschuifbed opmaken, lieverd?'

Ik knikte en liep de gang door naar mijn kamer. Nadat ik het beddengoed had gepakt, droegen Elizabeth en mijn vader Janey naar het bed en legden haar neer. Ze was al buiten bewustzijn.

'Trek haar schoenen uit, maar laat de rest maar zo,' zei pap. 'En zal ik dan nu theewater opzetten?' Hij schonk Elizabeth een glimlach. Ik volgde hem naar de keuken. Pap pakte papieren handdoeken en een spuitbus uit de kast en begon de kots op te ruimen.

'Dat doe ik wel,' zei Elizabeth, terwijl ze zich bukte om hem te helpen.

'Nee, het gaat wel,' zei pap. 'Bindy, zou jij niet eens naar bed gaan?'

'Ik ben niet moe.'

'Ga dan een boek lezen,' zei hij.

Ik liep de gang in en wachtte, met gespitste oren.

'Het spijt me vreselijk, John. Ze had gezegd dat ze hier naartoe kwam, vanavond,' zei Elizabeth. 'Ze is de laatste tijd zo onhandelbaar.'

'Het is een tiener,' antwoordde hij.

'Ja, maar toch… Belinda wordt niet dronken en ze is niet de hele nacht op stap. En dan die kleren!'

'Ga naar bed, Bindy,' zei pap.

Hij had ogen op zijn rug en hij kon ook nog een keer door de muur kijken. Ik deed een stap achteruit.

'Als ze thuis is, hangt ze aldoor aan de telefoon,' ging Janey's mam door. 'Waar blijven ze toch over praten? Ze hebben elkaar net daarvoor nog gezien. En ik denk ook niet dat ze fatsoenlijk eet. Ze was altijd al dol op bocht, maar de laatste tijd is het een stuk erger. Ik durf te wedden dat ze van chips leeft. Ik kan me de laatste keer niet meer herinneren dat ze nog iets groens heeft gegeten.'

Daarna liepen ze naar de woonkamer en toen kon ik niet meer horen wat ze zeiden.

Pap en Elizabeth bleven kletsen, nog lang nadat ik naar bed was gegaan. Af en toe lachten ze. Ik hoorde pap zelfs muziek opzetten voor ik in slaap viel.

Toen ik wakker werd, lag Janey nog altijd vast te slapen in mijn kamer. De make-up was uitgesmeerd over haar gezicht en over de kussens.

Toen ik naar de keuken liep, zag ik dat paps deur dicht was. Dat was vreemd, hij deed nooit zijn deur dicht. Sinds we klein waren, liet hij hem altijd op een kier van een paar centimeter staan zodat we hem 's nachts konden roepen als we nare dromen hadden.

Ik weet niet waarom ik de deur opendeed. Het leek gewoon fout dat die deur dicht was – zoals wanneer je een mes op de rand van het aanrecht ziet liggen vanwaar het op je voet zou kunnen vallen, of een pan die met de steel over de rand van het fornuis hangt, zo dat je er met je elleboog tegenaan zou kunnen stoten als je voorbijloopt.

Ik *keek* niet echt naar binnen. Ik zag gewoon iets vreemds vanuit mijn ooghoek en zonder erbij na te denken, keek ik wat beter.

Er lagen twee bulten in paps bed. De ene was pap en dan was er nog een bult waar hij zijn arm overheen had gelegd. Van onder het hoofdeind van de donsdeken zag ik een toefje bruine haren priemen.

Mijn eerste gedachte – en ik weet echt niet waar die vandaan kwam – was: wanneer heeft pap een hond gekocht? Het was een bizarre gedachte, maar op dat moment leek het veel aannemelijker dat mijn vader stiekem een heel grote hond in zijn kamer hield, of dat hij er misschien midden in de nacht één was gaan kopen, dan dat die grote bult waar hij zijn arm omheen had, Janey's moeder was.

TWAALF

Ik deed de deur dicht, zo zachtjes als ik kon, en ik liep op mijn tenen naar mijn kamer.

'Janey,' fluisterde ik, terwijl ik aan haar arm schudde.

Ze mompelde iets en zwaaide met haar arm naar me. 'Slapen.'

'Janey, wakker worden!' Ik schudde haar nog harder door elkaar en ik gaf een tik op allebei haar wangen.

'Wat is er?' zei ze geërgerd. Haar ogen stonden gezwollen en haar adem rook echt ranzig.

'Je zult het niet geloven!'

'Wat niet?'

'Je mam – ze is daar, samen met mijn vader,' zei ik.

Ze ging ineens overeind zitten. 'Waar?'

'In zijn kamer.'

Janey krabbelde uit bed, ze wankelde lichtjes omdat het onderschuifbed wegrolde, en toen liep ze de gang op.

'Je kunt toch niet naar binnen gaan,' protesteerde ik.

Janey gooide de deur open zodat hij hard tegen de muur aanbonsde.

'Moeder!'

Janey's moeder deed haar ogen open en ze tilde haar hoofd even op. We konden zien dat haar schouders bloot waren.

'Trek wat kleren aan!' beval Janey.

'Janey, wat is er?' zei Elizabeth met een slaperige stem.

'Verdomme, zeg!' zei mijn vader, terwijl hij de dekens over hun beiden heen trok. Zijn ogen waren gezwollen door de slaap en zijn haar stond alle kanten op.

'Kom uit dat bed en trek je kleren aan!' zei Janey, terwijl ze in de deuropening stond met haar handen op haar heupen.

Ik probeerde haar bij haar arm te pakken en haar weg te trekken, maar ze schudde me van zich af.

'Janey,' zei mijn vader. 'Ga je even de waterketel opzetten, liefje? Je moeder en ik komen er zo aan.'

Je moeder en ik – dat had ik in lange tijd niet gehoord.

'Ik ga hier niet weg voor jij uit dat bed komt!' schreeuwde Janey.

Pap steunde op zijn ellebogen. 'Je mag daar blijven staan en schreeuwen wat je kunt, Janey, maar wij komen niet uit bed voor jij de kamer uit bent.'

Janey staarde hem een ogenblik aan en toen beende ze weg, nadat ze de deur met een klap achter zich dichtgetrokken had. Ze ging in de keuken staan, met haar armen over elkaar heen geslagen en ze tikte met haar voet op de vloer. Ik zette de waterketel op en pakte een paar bekers uit de kast.

Ik kon me best vergissen, maar ik was er vrij zeker

van dat ik gegiechel hoorde in paps kamer. Janey moet het ook gehoord hebben, want ze zei heel luid: 'Goeie god!'

Een paar tellen later kwamen ze tevoorschijn. Elizabeth had paps kamerjas aan en ze geeuwde. Haar haar zat in een toef boven op haar hoofd en de zijkanten waren platgedrukt. Ze leek wel een Mohawk en mijn vader zag er al niet veel beter uit.

'Wat is hier aan de hand?' eiste Janey.

Pap stak een hand op. 'Eerst koffie, daarna kunnen we praten.'

Hij pakte melk uit de koelkast en goot er wat van in een kannetje.

Elizabeth ging aan de eettafel zitten. 'Janey, dit was niet echt gepland,' legde ze uit. 'Gisteravond was ik heel erg overstuur – daar moet ik trouwens nog eens uitgebreid met je over praten – en John was heel erg begripvol.'

'En dus heb je met hem geslàpen?'

Elizabeth probeerde haar haar een beetje glad te strijken, maar het kwam meteen weer overeind staan. 'John en ik zijn volwassen en we wilden het allebei.'

'Dus dat is de boodschap die jullie je kinderen meegeven?'

Elizabeth zuchtte. 'Liefje, John en ik kennen elkaar al zo lang. Sinds Adele weg is gegaan, hebben we een boel dingen samen gedaan. We zijn naar jullie tapdansvoorstellingen komen kijken, naar al die schoolavonden, we hebben feestjes gegeven met jullie verjaardagen. Hij heeft meer dan tien jaar na de middag op je gepast. Hij is een heel fijne vriend voor me.'

Janey ging naast haar moeder zitten. 'Mam, je kunt toch niks met hem hebben,' zei ze dringend.

'Waarom niet?'

'Kijk dan naar 'm!'

'Janey, doe niet zo lomp!' zei Elizabeth.

Janey keek alsof ze een klap in haar gezicht had gekregen. 'Hoe kun je me dit aandoen?'

Pap ging aan tafel zitten, naast Elizabeth en hij pakte haar hand. Dat was zo gek.

'Janey, zet je schrap, meid.' Hij leunde naar voren. 'Dit gaat niet om *jou*.'

DERTIEN

Toen we opnieuw op mijn kamer kwamen, maakte Janey zich klaar om naar huis te gaan. Ze hielp me het logeerbed op te ruimen.

'We moeten ze uit elkaar drijven,' zei ze.

'Waarom?' vroeg ik. 'We weten niet eens of ze wel samen zijn.'

'Bedoel je daarmee dat mijn moeder één keer met iemand vrijt en niet weer?' vroeg Janey, terwijl ze haar handen in haar heupen zette.

Ik kon me niet voorstellen dat Janey's moeder Het met iemand deed. Dat moest ze natuurlijk wel een keer hebben gedaan, want Janey was er, maar nu, op dit moment? Janey's mam droeg gebreide vesten met een zakdoek in haar mouw gepropt. Janey's moeder was het type waar je naartoe ging als je een betrouwbare slotenmaker zocht, of een goed recept voor boterkoekjes, maar *rollebollen* met iemand?

Ik ging op de rand van het bed zitten. 'Ik zie niet in wat er zo verkeerd aan is. Ze kunnen goed met elkaar opschieten. Het is niet alsof ze elkaar niet kennen.'

Janey kneep haar ogen tot spleetjes. 'Snap jij dan niks? Als volwassenen met elkaar Gaan is dat niet zoals wanneer wij dat doen. Voor je 't weet, willen ze bij elkaar intrekken, en waar moeten ze dan wonen? Jouw vader wil beslist niet verhuizen omdat hij zijn werkplaats hier heeft. Stel dat ze trouwen? Dan worden wij zussen.'

Ik haalde mijn schouders op. 'We waren toch al een soort zusjes,' zei ik. 'Tenminste, dat was vroeger zo.'

'Ze kunnen zelfs nog een paar baby's krijgen,' voegde ze eraan toe. 'En van je vader mogen mijn vrienden hier vast niet komen.'

En toen viel het me ineens in. Ze zou die gruwel van een Hannah hier naar binnen brengen – GVEH. Ze zouden iets te eten pakken in mijn keuken, ze zouden rondhangen in mijn woonkamer. En die Mitchell ook. Ze zouden liggen kwijlen op mijn logeerbed midden op mijn vloer.

Waar zou ik heen moeten als ik ze niet meer kon zien? Ik zou me nergens kunnen verstoppen.

En de keren dat ik naar mam toe ging? Ik kon me Janey al voorstellen op mijn kamer terwijl ik weg was – ze zou al mijn spullen doorsnuffelen, ze zou dingen op de verkeerde plek terugzetten, ze zou dingen weggooien en mijn kamer volproppen met al haar rommel.

En pap hield zich aan een aantal regels, maar Janey's mam was nog veel strikter. Ze maakte heisa over de stomste dingen. *Neem een onderzetter voor je glas. Ellebogen van tafel. Niet meer snoepen na acht uur – krijg je nachtmerries van. Haal die modderschoenen van mijn mooie tapijt.* Stel je voor dat je zoiets de hele tijd in huis hebt?

Janey zag de uitdrukking op mijn gezicht. 'Snap je 't nu?'

Toen ze weg waren, ging ik bij pap aan tafel zitten. Hij las de krant.

'Hoe moet het nu verder?'

'Ik ga de krant lezen en dan douchen. En daarna was ik van plan om nog wat in de krant te lezen. Tenzij er iets anders is wat jij graag wilde doen. We zouden naar het strand kunnen gaan en vis met frieten eten vanmiddag. Dat hebben we in lang niet gedaan.'

'Dat bedoelde ik niet.'

'Wat bedoelde je dan wel?' vroeg hij, terwijl hij over de rand van de krant keek.

Ik liet mijn handen over het tafelblad glijden, terwijl ik met mijn vingers het houtpatroon volgde. 'Met jou en Elizabeth.'

'Ik weet het niet.' De krant ritselde toen hij een blad omsloeg.

'Gaan jullie met elkaar?'

'In dit stadium hebben we nog geen plannen gemaakt, maar ik zou haar wel kunnen vragen om ergens met me naartoe te gaan, ja.'

'Pap!'

Hij keek op. 'Wat wil je dat ik zeg? Ik weet ook niet hoe dit zal aflopen. Jij soms wel?'

'Janey denkt dat haar mam zal willen trouwen en nog een paar baby's krijgen.'

'Is dat zo?' zei hij.

Ik dacht niet echt dat er nog een paar baby's zouden

komen, maar ik wilde wel dat hij die mogelijkheid uit zou sluiten. Ik wilde hem horen zeggen dat het één groot misverstand was, want als ze Het echt met elkaar deden – ook al bleef het bij deze ene keer – dan was alles wel voorgoed veranderd. Ze zouden nooit meer vrijblijvend kunnen kletsen bij amandelcake en koffie.

'Janey denkt dat jij hier niet weg zult willen vanwege je werkplaats en dat we dus met zijn allen hier zullen wonen en dat ze dan mijn kamer met me moet delen. En Elizabeth zal de spic-en-span-nazi zijn en achter iedereen aanrennen om te zeggen dat we onze schoenen moeten uittrekken.

'Denk je dat?' zei hij. En toen verdiepte hij zich weer in zijn krant.

Ik wachtte even, maar hij leek helemaal op te gaan in wat hij las. 'Nou?'

'Nou wat?' vroeg hij, zonder op te kijken.

'Ga je met haar trouwen?'

Pap legde de krant op tafel en leunde er met zijn ellebogen op. 'Bindy, ik ben al lang niet meer met iemand Gegaan, dus ik vermoed dat het nog een beetje te vroeg is om daar iets over te kunnen zeggen.'

'Maar stel dat het gebeurt? Komen ze dan bij ons wonen? Moet ik dan een kamer met Janey delen? En als ze dan vrienden uitnodigt? Ik moet haar vrienden niet. En moeten we dan de hele tijd onderzetters gebruiken?'

Pap wreef in zijn ogen en zuchtte.

'Ik weet dat dit heel verwarrend voor je is. Dat is het ook voor mij. Ik weet niet hoe dit zal aflopen – echt niet. Zo zit het leven niet in elkaar, en dat zou ik ook niet willen. Maar je moet wel weten dat jij en Kyle de belangrijkste mensen in mijn leven zijn, en dat zal altijd zo blijven. En kunnen we het dan nu even laten rusten? Alsjeblieft? Ik beloof je dat ik je op de hoogte zal houden.'

Toen pakte hij de krant weer op en hield hem als een muur tussen ons in.

VEERTIEN

Bij wetenschappen en Engels zat ik naast James. Het was fijn om naast hem te zitten omdat hij zijn taken maakte en daarbij niet probeerde om zijn blad met zijn arm te bedekken zoals Janey altijd deed. Hij moedigde me juist aan. Hij zei dat ik alles over mocht schrijven als ik met hem wilde zoenen, en toen hij mij op spieken betrapte, tuitte hij zijn lippen.

'Weet je, James, zo werkt dat niet. Ik hoor je te zoenen omdat ik dat wil en niet omdat ik bij je in het krijt sta.'

Hij schudde zijn hoofd. 'Bij relaties gaat het altijd om een uitwisseling. Je moet er allebei iets bij winnen, waarom zou je anders de moeite nemen?'

'Ik kan er niet bij dat jij zo denkt!' kaatste ik terug. 'Bij relaties gaat het erom dat je iemand mag om wie hij is – niet om wat je eruit kunt halen.'

Hij tikte met zijn pen tegen zijn tanden voor hij iets terugzei. 'Ik vind het een behoorlijk faire deal. Jij krijgt goede cijfers voor wetenschappen en ik krijg, je weet wel.' Hij grijnsde en wipte zijn wenkbrauwen op en neer.

'James!' Ik trok mijn neus op.

En toen deed hij iets wat ik niet verwachtte. Hij pakte me om mijn middel vast in een woeste omhelzing. Ik voelde de blote huid van zijn armen tegen mijn eigen huid. Ik kon hem ruiken en ik voelde zijn adem achter in mijn nek, en daar kreeg ik zo'n heerlijke rilling van die over mijn hele ruggengraat omhoog kroop. Tegelijk was ik vreselijk bang – niet zomaar een beetje bang, het was een plotselinge, instinctieve angst waardoor ik zin had om te schoppen en te vechten met alle kracht die ik in me had.

Mijn stoel wiebelde gevaarlijk, ik gilde, en toen liet hij me los. Zijn omhelzing had vast maar een seconde geduurd, maar voor ons was het een eeuwigheid.

Ik keek hem aan en zijn ogen waren heel erg groot.

'Wat was dat?' vroeg ik.

Hij schudde zijn hoofd en stamelde: 'Ik weet het niet. Ik voelde ineens zo'n drang om je… fijn te knijpen.'

'Dat kun je maar beter laten,' zei ik, terwijl ik hem een klap op zijn schouder gaf.

Bij maatschappijleer zat ik ingespannen te werken toen Janey zich over me heen kwam buigen. 'Ik kom bij je langs,' kondigde ze aan – gewoon, zomaar – en toen draaide ze zich op haar hakken om en ze liep terug naar Hannah.

Die middag gooide Janey mijn vader een duistere blik toe, toen ze op de achterbank van de auto glipte.

'En, geen nieuws van de vijand?' fluisterde hij.

'Denk je niet dat we daar een beetje te oud voor zijn?' vroeg Janey.

'Een mens is nooit te oud om te spelen, Janey,' antwoordde hij.

'O, is het dat wat je met mijn moeder doet?'

Ik zag een spier in paps wang samentrekken. 'Je moet wel beleefd blijven als je tegen me praat, Jane Madden,' zei hij.

Janey ving zijn blik in de achteruitkijkspiegel, en ze bewoog haar hoofd uitdagend naar voren, maar ze zei niks terug. Niemand zei een woord tot we thuiskwamen.

Janey gaf me niet eens de tijd om iets te eten te pakken voor ons allebei. We liepen meteen naar mijn kamer. Janey haalde een blocnote en een pen uit haar tas en ze ging met gekruiste benen op de vloer zitten. Ik ging tegenover haar zitten met mijn rug tegen de rand van het bed.

'We moeten een plan beramen,' zei ze. Boven aan het blad schreef ze: Mam en pap uit elkaar drijven, en daar trok ze een streep onder.

'Je kunt niet zomaar een lijstje maken,' zei ik. 'Stel dat ze het vinden?'

'Dan schrijf ik het in code. In plaats van mam en pap uit elkaar drijven, zet ik: E min J.'

'Denk je niet dat ze dat zullen snappen?'

Janey kauwde op het uiteinde van haar pen. 'Dan verbranden we het meteen.'

'Waarom zou je het dan opschrijven als je het toch meteen verbrandt?'

Ze haalde haar schouders op.

Ik zuchtte. 'Waarom gebruik je dan geen betere code zoals: Manieren om het uit te maken met Mitchell,' stelde ik voor. 'Als ze dat vinden, denken ze dat het over jou gaat..

Janey knikte. 'Oké.' Ze scheurde het blad af en begon opnieuw.

'En, wat gaan we doen?' vroeg ik.

'Je hebt gezien hoe ik net tegen je vader deed. Ik liet hem mijn afkeuring blijken. Dat zou jij ook kunnen doen. We kunnen laten merken dat wij er heel erg tegen zijn.'

'Waarom zouden ze naar ons luisteren?'

'Omdat zij de verantwoordelijkheid op zich hebben genomen om ons gelukkig te maken,' zei Janey. 'Het was hun keuze om ons op de wereld te zetten. Ze kunnen ons niet ineens in de steek laten nu we een bedreiging vormen voor hun liefdesleven.'

Daar moest ik even over nadenken. 'Dat heeft mijn moeder wel gedaan,' zei ik.

'Ja, maar je moeder is dan ook een kreng.'

'Janey!'

Ze wierp haar hoofd in haar nek. 'Geef toe, dat is ze toch? Ze doet vreselijk tegen je – dat was altijd al zo. Of moet ik soms liegen?'

'Zoiets zeg je gewoon niet tegen iemand. Je moet rekening houden met de gevoelens van anderen.'

'Wie heb ik dan gekwetst? Zij kan me niet horen. En trouwens, je bent het zelf met me eens. Dat weet ik gewoon. Je klaagt al jaren over haar. *Ik wil dit weekend helemaal niet naar haar toe. Waarom kom je niet mee?*'

'Daar gaat het niet om. Ik kan zoiets zeggen, maar jij niet. Ik zeg ook geen gemene dingen over jouw moeder.'

'Wat valt er over haar te zeggen?' vroeg ze, schouderophalend. 'Mijn moeder is een fijn mens.'

Ik draaide me om en ging op mijn buik liggen. Ik praatte zachtjes, voor het geval er iemand meeluisterde. 'Denk je dat ze Het echt gedaan hebben?'

'Neu,' zei ze, terwijl ze haar pen tegen haar knie tikte.

'Maar ze hadden geen kleren aan,' zei ik.

'Hoe weet je dat? De dekens lagen zowat helemaal over ze heen.'

'Maar ze wilden niet uit bed komen. En dat hadden ze wel gedaan als ze kleren aan hadden gehad.' Ik gooide een blik in de richting van de gang.

'Misschien hadden ze hun ondergoed aan,' fluisterde Janey, terwijl ze naar me toe leunde.

'En wat denk je dat ze dan deden?' vroeg ik.

Janey haalde haar schouders op. 'Misschien hebben ze alleen maar wat gezoend en geknuffeld.'

Ik trok een rimpel in mijn neus. 'Foei!'

'Niet zo foei als wanneer ze Het hadden gedaan.'

Ik sloeg mijn hand over mijn mond. En toen begon Janey te lachen. En ik proestte het ook uit.

Pap stak zijn hoofd om de deur. 'Wat is er zo grappig?' vroeg hij.

Janey zoog haar adem naar binnen. Ze draaide het blocnootje om en ging erop zitten.

'Janey wilde weten of…' begon ik.

'Ssst!' zei Janey, en ze hield haar hand voor mijn mond. Ik veegde hem weg.

'Ze wilde weten…'

'Bindy! Hou je kop!' protesteerde ze.

Pap schudde zijn hoofd en liep weg.

'En, wat gaan we nu doen?' fluisterde ik, zodat pap

het niet kon horen. 'Waarom zou jij het uitmaken met Mitchell?'

Daar dacht Janey even over na. 'Als hij me belazerde. Als hij tegen me loog. Als hij er vreselijk uitzag.'

'O ja? Zou je hem laten vallen als hij er vreselijk uitzag?'

'Ja hoor.'

'Ik denk niet dat we daar iets mee kunnen,' zei ik. 'We kunnen ze niet overhalen om elkaar te bedriegen of tegen elkaar te liegen.'

'En je vader ziet er van zichzelf al vreselijk uit.'

'Nietes!' zei ik.

'Kan mij wat schelen. Maar dat betekent dat er niks anders opzit dan onze afkeuring te laten blijken,' zei ze. 'We kunnen beginnen met Stommetje Spelen en dan zien we wel wat ze daarvan vinden.'

Ik bedacht dat ik maar beter bij mijn vader uit de buurt kon blijven, als ik stommetje wilde spelen. Toen Janey weg was, bleef ik dus op mijn kamer zitten lezen tot het tijd was om te eten.

Na een poosje legde ik het boek neer en ik ging op mijn bed liggen met mijn handen achter mijn hoofd. Aan het voeteneind van mijn bed hing een poster aan de muur. Er stond een kabouter op die op een heuveltje lag te slapen. Bladeren beschutten hem tegen het zonlicht dat gefilterd werd door de takken van de bomen waaronder hij lag. Hij zag er vredig uit en het hele tafereel had iets dromerigs.

Ik hield van die poster. Mijn moeder had mijn kamer ingericht voor mijn achtste verjaardag toen ik net in mijn sprookjesfase zat. Vroeger staarde ik naar die poster en dan beeldde ik me in dat ik in Sprookjesland woonde. Ik stelde me voor dat ik op mijn tenen over die heuvel trippelde en dat ik reusachtige bladeren opzij duwde dankzij mijn toverkrachten. Die prent was het enige niet-nuttige geschenk dat mam ooit voor me had gekocht. Ik denk dat ze hem gekocht had omdat de groene schaduwen van de bladeren precies dezelfde kleur hadden als mijn gordijnen. En ze kocht ook de complete serie van Anne, van *Anne van het groene huis* tot *Rilla van Ingleside,* omdat de ruggen precies die kleur groen hadden. Ze stonden in een rijtje op een plank boven mijn bed en ze werden niet weggestopt in de laden van mijn bureau zoals dat wel het geval was met mijn andere boeken die niet in het kleurengamma pasten.

Alles wat erbij gekomen is, sinds mam weg is gegaan, is pure rotzooi. Pap vond het leuk om dingen te maken uit afgedankte auto-onderdelen, en dus had ik een koplamp, en de deur van mijn kleerkast was eigenlijk een oude motorkap en achter mijn deur hing een koeienvanger waarop pap mijn t-shirts hing als hij ze gestreken had. Het was geen erg mooie kamer, maar het was wel mijn kamer.

Ik bofte dat Kyle die middag zo goed had gescoord met *Battlefield* zodat hij ons tijdens het eten een gedetailleerde beschrijving gaf van iedere dreun die uitgedeeld was, gevolgd door een lezing over gevechtstechnieken.

'Als je erin slaagt om een *spawn point* in te nemen, kunnen ze niet meer uitzwermen en dan duikt hun score naar beneden als een liedje van Kasey Chambers, en dan winnen de geallieerden.'

Pap draaide zich naar me toe. Hij stond op het punt me een vraag te stellen, dat kon ik zo zien.

'Maar hoe kom je in de buurt van hun *spawn point* zonder dat je er zelf aan gaat?' vroeg ik snel, alsof het me werkelijk intrigeerde.

'Goede vraag,' zei Kyle. 'Dat kun je op verschillende manieren doen.' En toen somde hij ze allemaal op. Daar was hij nog mee bezig toen we al klaar waren met eten en pap de borden had opgeruimd.

'Zal ik het je laten zien?' vroeg hij.

Ik had niet het gevoel dat het me zou kunnen boeien, maar het zou me wel bij pap uit de buurt houden.

'Graag,' zei ik, en ik volgde Kyle naar zijn kamer.

Het duurde ongeveer een half uur voor Kyle zozeer opging in het spel dat hij me helemaal vergeten was. Toen ik naar buiten glipte om mijn boek te pakken, merkte hij het niet eens.

Rond elf uur stak pap zijn hoofd om de deur om me welterusten te wensen. Ik zwaaide even en glimlachte naar hem.

'Slaap lekker, kerel,' zei Kyle.

Dit was een patroon waar ik me best in kon schikken tot het Stommetje Spelen voorbij was. Zo lang ik me maar bij Kyle aansloot, zou hij praten voor ons allebei. En als ik maar een vriendelijk gezicht zette, zou mijn vader niet eens weten wat er aan de gang was.

VIJFTIEN

De volgende dag hadden we sport, en toen pap me naar school bracht, besloot hij me een beetje op te peppen.

'Ik weet dat je er heel erg over inzat, maar goed, je hebt een wind gelaten – en wat dan nog? Iedereen doet het. Het is niks om je druk over te maken.'

Ik staarde uit het raam.

'Het enige waar je aan moet denken is dat het volkomen natuurlijk is om een wind te laten. Je zou ervan doodgaan als je het niet deed. Echt waar!'

Ik dacht niet dat je er echt dood zou van gaan.

'Weet je wat ik denk?' ging hij door, 'Ik denk dat de meeste kinderen wel eens een wind laten overdag. Alleen zijn dat van die kleintjes, of ze gaan naar een plek waar er een stevige tocht staat.'

Hij wachtte even. 'Eigenlijk weet ik wel zeker dat ze dat doen. Op mijn school was dat in ieder geval zo. We kregen altijd een flesje melk bij de pauze en sommige jongens dronken de melk op en dan lieten ze een wind in het lege flesje en ze schroefden de dop er weer op.'

Ik keek hem aan met één opgetrokken wenkbrauw.

'Ik niet, hoor!' zei hij. 'En ik denk niet dat een van de meisjes het ooit heeft gedaan. Maar de ingewanden van jongens en meisjes zijn nu ook weer niet zo verschillend, denk je niet?'

Ik haalde mijn schouders op.

'Is dat het enige waar je mee zit, Bindy? Of is het Janey? Jullie leken gisteren toch uitstekend met elkaar op te schieten? Ik hoorde niks dan gegiechel uit je kamer komen. Hebben jullie het weer goedgemaakt?'

Ik knikte.

'Dat is toch goed nieuws? Het zag er een poosje naar uit dat ze ontspoord was, maar jij bent een beste meid. Jij hebt een positieve invloed op haar.'

Ik schonk hem een glimlach.

'Weet jij soms iets wat je niet tegen me zegt? Heeft het iets met Janey te maken? Is ze soms verkeerd bezig? Het zijn toch geen drugs, hè?'

Ik schudde mijn hoofd.

Pap fronste zijn wenkbrauwen. Hij draaide zijn ogen van de weg naar mij en weer terug. 'Wat heb je toch? Heb je soms kiespijn?'

Ik zwaaide met mijn hand.

'Als je wilt, breng ik je naar de tandarts. Ik heb het toevallig niet te druk, vandaag. Het is een poos geleden. Moet je soms je verstandskiezen krijgen?'

Ik wees naar mijn mond en daarna stak ik mijn twee duimen in de lucht.

'Wat is er dan met je mond?'

Ik bracht de toppen van mijn duim en wijsvinger bij

elkaar om aan te duiden dat alles oké was. Pap stopte bij de verkeerslichten en draaide zich naar me toe.

'Bindy, doe je mond open. Je hebt toch niet zo'n afgrijselijke tongpiercing laten zetten, hè?'

Ik stak mijn tong naar hem uit en hij inspecteerde hem. Het licht sprong op groen en we begonnen weer te rijden.

'Wat is er dan? Is je strottenhoofd ontstoken, of je amandelen? Ben je ziek?'

Pap parkeerde de auto vlak bij de schoolpoort. Ik deed het portier open en maakte aanstalten om uit te stappen.

'Wacht even,' zei hij, terwijl hij mijn arm pakte. 'Wat is er toch met je?' Hij wachtte. 'Bindy?'

Ik zuchtte. 'Ik praat niet tegen je,' zei ik.

'O, en waarom niet?'

'Janey en ik hebben besloten om niet meer met je te praten om je te laten merken hoe erg we ertegen zijn dat jij met Elizabeth bent.'

'Misschien zouden jullie dan even kunnen wachten tot Elizabeth en ik echt samen zijn?'

'Maar dan is het te laat.'

'Goed. Ik heb jullie protest genoteerd. Wil je dan nu weer tegen me praten?'

Ik begon uit de auto te klimmen. 'Daarvoor moet ik eerst even met Janey overleggen.'

'Doe dat,' zei hij. 'Leuke dag nog, lieverd.'

Ik wees naar hem en toen hield ik twee vingers op. *Jij ook.*

Op school nam ik mijn gewone positie in naast Blok

B en ik sloeg mijn boek open. Ineens torende er een scha-
duw boven me uit. Het was Janey die voor me stond met
haar handen op haar heupen. Ik keek naar haar op, terwijl ik een hand boven mijn ogen hield.

'En, ben je door de knieën gegaan?' vroeg ze.

'Een klein beetje maar. Ik heb pap alleen verteld wat
we aan het doen waren. En jij?'

'Nee. Maar het was een makkie. Mam wilde toch alleen maar over zichzelf praten en toen we thuiskwamen,
ging ze er weer vandoor naar een van haar comitéver-
gaderingen. Toen ze terugkwam, deed ik of ik sliep.'

'Pap zei dat we moesten wachten tot ze echt samen
waren.'

'Maar dan is het te laat!' zei ze.

'Dat heb ik ook gezegd.'

'Het wordt moeilijker dan ik gedacht had,' zei Janey.
'We moeten overschakelen naar plan B.'

'En wat is plan B?'

'Dat weet ik nog niet,' zei ze. 'Ik bel je vanavond om
iets te bekokstoven.'

Ze begon van me weg te lopen.

'Janey,' riep ik haar na.

Ze draaide zich om. 'Wat?'

'Nu we weer vriendinnen zijn, kan ik toch weer bij je
komen zitten, niet?'

Janey beet op haar lip. 'Daar moet ik het eerst eens
met Hannah over hebben.'

Ik vroeg het haar nog een keer vlak voor de pauze, en
toen nog een keer tijdens de lunch. Telkens deed ze het
af met: 'Ik heb nog niet de kans gehad om er met Hannah
over te praten.'

Was het zo'n gigantisch probleem, dan? En trouwens, sinds wanneer was Hannah Plummer Hoofd van het Beheer der Zitplaatsen?

Na de lunch ging ik voor het eerst sinds die wind opnieuw naar de yogales.

Ik haalde diep adem, liep recht naar het midden van de zaal, en ging met gekruiste benen op de vloer zitten. Ik had verwacht dat de mensen bij me uit de buurt zouden blijven, maar dat gebeurde niet. Ze gingen om me heen zitten en ze lieten me net zoveel ruimte als ze dat voor alle anderen deden. Ik had het overleefd. Alles was weer net als vroeger.

Of tenminste, bijna.

Kennelijk vond Hannah het toch niet zo leuk dat ik weer bij ze zou komen zitten. Volgens Janey zou ik haar reputatie naar de bliksem helpen.

'Wat voor reputatie?' vroeg ik, terwijl ik de telefoon tussen mijn schouder en hoofd klemde om de televisie wat zachter te zetten met de afstandsbediening.

'Je weet wel,' zei Janey. Ik zag zo voor me hoe ze bij haar thuis op de bank lag. Ze had zo'n gekke manier van liggen waarbij ze half over de leuning hing omdat ze haar voeten niet op de bank mocht leggen. 'Hannah en ik dragen het juiste soort kleren, en jongens willen met ons Uit en zo. De andere meiden kijken naar ons op. Ze willen graag bij ons Zitten.'

'Dat verzin je. Wie bijvoorbeeld?'

Janey wachtte even. 'Nou, jij toch? In ieder geval, hoe moet het nu verder met mijn moeder en John? Ga je me helpen met plan B of krabbel je terug?' vroeg ze.

'Er is geen plan B om van terug te krabbelen,' redeneerde ik. 'Bel me als je een plan B hebt, dan kan ik pas terugkrabbelen.'

'Voor je eigen bestwil hoop ik…' Janey hield even op met praten. 'Wil je heel even wachten?'

Ze legde haar hand over de hoorn en een paar seconden later was ze er weer.

'Dat was mam. Ze gaat even de deur uit.' Daarna ging ze verder waar ze was opgehouden. 'Voor je eigen bestwil hoop ik dat ze niet echt samen zijn.'

'Zouden we niet beter afwachten?'

Uiteindelijk hoefden we niet lang te wachten, absoluut niet. Mijn vader stak zijn hoofd om de deur. Hij kwam waarschijnlijk net onder de douche vandaan want zijn haar zat tegen zijn hoofd geplakt. 'Ik ga uit. Over een half uurtje ben ik terug.'

'Top,' zei ik.

Ik wachtte tot hij weg was. 'Dat was mijn vader. Hij gaat ook al uit.'

'Wàt?'

'Het zou toeval kunnen zijn.'

'Geloof ik niks van. Bezet je commandopost!' zei ze.

'Waar heb je het over? We hebben geeneens commandoposten.'

'Laat de radertjes in je hoofd dan maar draaien, Bindy, of we zouden dit gesprek volgende week wel eens in jouw bed kunnen voortzetten, met mijn voeten op jouw hoofdkussen. Ik weet het! We gaan staken.'

Ik trok mijn lip op. 'Staken met wat? Waar zou jij mee kunnen ophouden zodat je moeder er last van heeft? Ik doe helemaal niks, thuis. Mijn vader doet het allemaal. We moeten gewoon met ze praten.'

'En een hongerstaking?'

'Oké, dan wordt die hongerstaking plan C. Maar nu is het de beurt aan plan B, ja?'

Janey zuchtte. 'Jij je zin, maar dat lukt nooit.'

Ik ging op de bank zitten en ik wachtte tot mijn vader thuiskwam. Toen hij naar binnen liep, straalden zijn ogen en er lag een blos over zijn wangen.

'Waar ben je geweest?'

Hij krabde op zijn hoofd. 'Even wezen koffie drinken met Elizabeth.'

'O ja?' zei ik.

'Bindy, we weten dat jullie het niet zien zitten. Daar hebben we ook over gepraat.' Pap ging naast me op de bank zitten. 'We hebben heus geen plannen om te gaan trouwen en bij elkaar in te trekken. Maar we hebben wel veel gemeen – jullie tweeën om te beginnen. We vonden het allebei erg leuk om iemand te hebben waarmee je naar de film kan, of misschien naar het theater. We zouden af en toe ergens kunnen eten, dat soort dingen.'

'Je kunt mij en Kyle toch ook mee uit eten nemen?'

Pap glimlachte. 'Jawel, maar dat is niet helemaal hetzelfde.'

'Bedoel je daarmee dat je een vluchtige relatie wilt met die vrouw?' vroeg ik, terwijl ik mijn armen over elkaar vouwde.

Pap liep naar de keuken. 'Heb jij geen huiswerk?' riep hij over zijn schouder.

'Misschien wel,' antwoordde ik knorrig. 'Ga je me helpen?'

Pap en ik gingen aan de keukentafel zitten om mijn algebra onder handen te nemen. Het enige probleem was dat er tussen de opgave en het antwoord een lezing van een uur zat over de geschiedenis van de wiskunde, beginnend met de manier waarop grotbewoners het bereik van hun pijlen berekenden. Ik bleef maar geeuwen en probeerde dat te verstoppen door mijn mond dicht te houden. Na de vierde of vijfde onderdrukte geeuw vroeg pap of ik naar het toilet moest.

'Nee, waarom?'

'Omdat ik dacht dat je je niet lekker voelde. Misschien moest je wat overdruk kwijt.'

'Pap!'

Toen hij overschakelde naar logica en filosofie, zei ik dat ik het verder wel zonder zijn hulp afkon en in plaats daarvan zocht ik de oplossing achter in het boek.

Hij stond op en begon het eten klaar te maken.

'Ik zie eigenlijk niet in waarom je Elizabeth nodig hebt,' zei ik. 'Je hebt massa's vrienden. En de jongens in de werkplaats.'

'Ja, maar ik ben de baas. Elizabeth is iemand waar ik mee kan praten. Iemand waar ik lol mee kan trappen.'

Ik snoof.

Pap hield zijn handen op. Er zat zo'n geïrriteerd trekje boven zijn wenkbrauw dat ik daar niet eerder had gezien. 'Hier zul je het voortaan mee moeten doen, Bindy. Je kunt er maar beter aan wennen.'

Janey had gelijk. Plan B deugde voor geen meter.

ZESTIEN

De volgende dag liep ik tijdens de lunchpauze naar de plek waar Janey samen met Hannah en Mitchell zat te kijken naar het basketbal.

'Het is tijd voor plan C,' zei ik.

Ze gaf geen antwoord.

'Janey?'

'O, het spijt me, had je het tegen mij?' vroeg ze, terwijl ze haar ogen afschermde met haar hand.

'Ja, ik had het tegen jou. Daarom zei ik ook "Janey". Als ik het tegen iemand anders had, zou ik een andere naam hebben gebruikt. Plan C, de hongerstaking, weet je nog?'

Ze keek over mijn schouder naar de jongens die basketbal speelden.

'Ik zie dat je het op dit moment te druk hebt met je nieuwe vrienden,' zei ik.

Janey wisselde een blik met Hannah en Hannah zei: 'Ik denk dat het tijd wordt om even met haar te praten, vind je niet?'

Janey zuchtte en kwam overeind. 'Kom op, dan.'

We begonnen om de rand van het veld heen te lopen.

'Als Hannah het niet prettig vindt dat ik bij haar kom zitten, waarom kom jij dan niet bij mij zitten? Zoals vroeger,' begon ik.

Janey deed haar mond open en toen weer dicht.

'Wat is het probleem? Het gaat toch niet meer over die wind? Er is niemand die er nog iets van zegt.'

Dit was het moment waarop Janey hoorde te zeggen: *Ja, je hebt gelijk. Het is echt wel stom, hè? Kom er maar bij zitten. Hannah moet er maar overheen zien te komen.* Of beter nog: *Hannah wordt me toch te saai. Ik kom wel bij jou zitten.* Maar dat zei ze niet. In plaats daarvan zei ze: 'Ik geloof dat we uit elkaar zijn gegroeid.'

Ik bleef staan. 'Wat?'

'Oké dan.' Ze zette haar handen op haar heupen en ademde uit. 'Ik heb echt mijn best gedaan om je niet te kwetsen, Bindy, maar ik vind er niks meer aan, aan de dingen die jij wil doen. Al in geen tijden. Ik heb geen zin meer om naar tekenfilms te kijken en elfendansjes te verzinnen. Ik vind het saai en stom. Ik ben volwassen geworden, en jij… kennelijk niet, Bindy. Hannah houdt van dezelfde dingen waar ik van hou. We hebben vriendjes en we gaan 's avonds uit. We kijken naar MTV en het Hollywoodnieuws op E.'

Ik voelde mijn wangen gloeien.

Janey ging door. 'Ik wil je niet van streek maken, ik wil je echt niet beledigen, maar ik zou het fijn vinden als je zelf een paar vrienden maakte. Misschien kun je beter omgaan met iemand… op jouw niveau.'

Ik had er geen idee van waar ik naartoe liep. Tranen van woede vertroebelden mijn gezichtsveld en ik had het gevoel of er een vreemd voorwerp in mijn keel zat. Ik stampte het schoolplein over, mijn handen tot vuisten gebald, met de zekerheid dat iedereen naar me keek.

Er was maar één iemand op school waar ik op dat moment mee kon praten. Ik banjerde de trap op, de gang door naar de klas van de laatstejaars.

'Alarm! Er komt een vijfdejaars aan!' zei een van de jongens die bij de deur zat.

Kyle keek op en zag me. 'Hé pukkel, wat wil je?'

'Kun je even hier komen?' fluisterde ik.

Hij kwam naar de deur toe. Hij wist dat het iets belangrijks was. We hadden een stilzwijgende regel dat we op school niet met elkaar praatten.

'Janey zei…' begon ik. Mijn lip trilde. Ik probeerde het binnen te houden maar dat kostte me een hoop moeite. 'Janey zei…' En toen barstte ik in tranen uit.

'Ach Bindy, kom hier,' zei hij, en hij sloeg zijn armen om me heen. Ik had nooit gedacht dat hij dat zou doen. Vooral niet waar zoveel anderen bij waren. Dat maakte me nog harder aan het huilen.

'Hé, Kyle papt aan met een van de vijfdejaars,' zei een van de jongens.

'Dat is zijn zus, suffie,' antwoordde iemand anders.

'Wat lief,' zei een van de meisjes.

Kyle hield me op armlengte van zich af en liet zijn ogen over mijn gezicht gaan. 'Wat zei Janey?'

'Ze zei dat ze me niet meer leuk vond. Ze zei dat ik saai was en onvolwassen. En dat ik iemand op mijn niveau moest zien te vinden.'

Kyle knikte. 'Heeft ze ook tegen mij gezegd. Ze is het echt niet waard, Bindy, echt niet.' Hij klonk al net als pap.

'Maar ik heb niemand waar ik bij kan gaan zitten,' fluisterde ik. 'Ik wil niet terug naar buiten.' *Omdat ik bang ben dat ik zal gaan huilen en dat ze dat zal zien, en dan ben ik pas echt zielig en onvolwassen en ik kan er echt niet tegen dat ze dan gelijk zou krijgen.*

Dat hoefde ik niet hardop te zeggen, Kyle wist het zo ook wel. Hij fronste zijn wenkbrauwen. 'Je zou best bij mij kunnen komen zitten, maar ik heb zo meteen voetbaltraining.'

'Ik dacht dat je dat niet langer deed,' zei ik.

Kyle glimlachte. 'Ik speel niet meer, maar ik coach nog wel. Daar heb ik thuis niks van gezegd omdat pap er zich dan mee zou bemoeien. Echt bemoeien, bedoel ik. Je weet hoe hij is.'

'Kan ik dan komen kijken?' vroeg ik.

'Oké,' zei hij.

We liepen de gang door en hielden halt bij de sportzaal om de uitrusting op te halen.

'En, hoe spelen ze?' vroeg de gymleraar, meneer Moody, terwijl hij de bergplaats openmaakte.

'Ik denk wel dat ze zullen doorstoten naar het Regionale Toernooi,' antwoordde Kyle.

Meneer Moody knikte. 'Mooi zo. We hebben geen fatsoenlijke junioren meer gehad sinds…' Hij zweeg even. 'Ik geloof niet dat we ooit een fatsoenlijk team hebben gehad.'

Hij bukte zich om wat spullen opzij te schuiven en

schopte de ballen naar Kyle toe. 'We hebben geen truitjes die passen. Dan moeten ze maar wat grotere truitjes aan, zeker?'

'Ze hebben echt keihard getraind, meneer. Het zou heel fijn zijn als ze truitjes hadden die beter pasten.'

Meneer Moody fronste zijn wenkbrauwen. 'Dan zul je de ouders om geld moeten vragen. Ik zit sowieso krap in mijn budget.'

'De ouders moeten al schoenen en sportkleding kopen voor buitenschoolse clubs. Misschien kunnen we zelf geld bij elkaar brengen?'

Meneer Moody schudde zijn hoofd. 'Dat is een goed idee, Kyle, maar ik heb geen tijd om dat te organiseren.'

Kyle knikte. Hij stopte een voetbal onder iedere arm en liep naar het veld, met mij in zijn kielzog.

Een aantal eerstejaars stonden samengedromd aan de rand van het veld. Er waren er een paar die hun sportkleren al hadden aangetrokken. Een van de jongens trok zijn schooltruitje uit, en eronder zat een nagelnieuw, felgroen surftruitje.

'Michael, Michael, Michael,' zei Kyle. Hij leunde voorover en plantte zijn handen op zijn dijen zodat hij oog in oog kwam te staan met de jongen. 'Ben jij een surfer?'

Michael schudde zijn hoofd.

'Dat dacht ik al. Maar wat we hier hebben is een prachtig voorbeeld van een tantetruitje. Weet je wat dat is?'

Michael schudde weer met zijn hoofd.

'Weet iemand anders het?'

Alle jongens keken elkaar aan en schudden hun hoofd.

'Kom dan maar dicht bij me staan want ik ga jullie iets belangrijks vertellen.' Kyle wenkte ze allemaal om hem heen.

'Een tantetruitje herken je meestal aan het surfmerk, zoals dit hier.' Kyle tikte tegen het logo op de borst van de jongen. 'Dat heet dus een tantetruitje omdat tantes het gewoonlijk met de beste bedoelingen kopen voor hun neefjes. Maar je snapt wel dat echte surfers een beetje nijdig worden als ze zien dat hun merk gedragen wordt door niet-surfers. En dat merken ze omdat zo'n truitje niet versleten en verbleekt is van de zon. Heb je 'm?'

De jongens knikten.

'Daar hoef je je niet rottig over te voelen, Michael, want dat kon jij niet weten. Het is een leuk truitje, dus je kunt het makkelijk op de training aan. Maar ik wil niet dat je zo in de gangen rondloopt, snap je? Ik kan het me niet permitteren dat mijn steraanvaller in de prak geslagen wordt. Dus als je zo wilt rondlopen, moet je er maar voor zorgen dat het een paar keer gewassen wordt en daarna moet het flink uitwaaien in de felle zon. Misschien kun je er hier en daar een jaap in trekken. En als dat niet kan, moet je het maar bij je gymkleding houden. Zo kom je alvast niet in de problemen. Gesnopen?'

'Oké,' zei Michael.

Kyle kwam weer overeind. 'Goed, dan gaan we nu wat stretchen.'

Hij liet de jongens opwarmingsoefeningen doen en daarna moesten ze heen en weer rennen over het veld en de bal naar elkaar toe dribbelen. Daarna liet hij ze met gekruiste benen in een cirkel zitten en besprak een paar strategieën met ze.

Net voor de bel ging, stuurde hij ze naar de kleedkamer, en hij zag erop toe dat Michael zijn trui bedekte voor hij wegging.

'Jij zou later leraar moeten worden,' zei ik, toen we over het veld naar de schoolgebouwen liepen.

Kyle haalde zijn schouders op. 'Het zijn fijne jochies. Ik mag ze wel. Jammer dat we geen truitjes voor ze hebben. Dat zou ze een fijn gevoel geven. Alsof de school trots op ze is. Zoveel kost dat nu ook weer niet.'

'Waarom houden we geen inzameling?' vroeg ik.

Kyle fronste zijn wenkbrauwen. 'Ik zou zo al meer tijd in mijn studie moeten stoppen. Maar het zou wel leuk voor ze zijn.'

De rest van de dag schreef ik alsmaar ideeën op om geld in te zamelen. Het was in ieder geval beter dan aldoor mijn veters los te maken en weer te strikken.

ZEVENTIEN

Toen ik thuiskwam, ging de telefoon. Het was mam.
'Hallo?'

'Hij heet Phillip. Hij is achtendertig en hij is boek-
houder,' zei ze. 'Wat wil je nog meer weten?'

Met achtendertig was hij niet zoveel jonger dan zij.
Ik nam de telefoon mee de gang door, naar mijn kamer
en ik deed de deur achter me dicht. Ik wilde niet dat pap
dit gesprek zou afluisteren.

'Heeft hij kinderen?' vroeg ik met gedempte stem.

'Nee.'

'Is hij al eerder getrouwd geweest?' Ik ging op mijn
bed zitten.

'Nee. Hij was wel een keer verloofd, maar dat is niks
geworden.'

'Waarom niet?'

'Weet ik niet,' antwoordde ze kortaf.

'Is *Phillip* naar oma's begrafenis gegaan?' vroeg ik, terwijl ik een van mijn kussens op schoot trok.

'Ja, hij is meegegaan om me te steunen. Hij had haar
ook een aantal keren ontmoet.'

'Ons heb je nooit meegenomen naar oma, maar Phillip wel?' vroeg ik.

'Je oma was erg blij dat ik met Phillip was. Hij is een beschaafde, elegante man, en je oma was heel erg met hem ingenomen.'

'Waarmee je wil zeggen?'

'Wat zou ik daarmee willen zeggen?'

Ik rolde mijn ogen in de richting van de deur. 'Waarmee je wil zeggen dat pap niet zo beschaafd en intelligent is,' fluisterde ik.

'Je vader en je oma konden niet zo goed met elkaar opschieten. Vanaf het begin al niet. Ik zag ertegenop om bij haar op bezoek te gaan met John.'

Ik stond op het punt om te zeggen: *Tegen mij zei hij dat hij haar wel mocht.* Maar toen bedacht ik dat pap nooit gezegd had dat hij haar mocht. Hij had alleen gezegd dat ze te gekke kippen had en dat ze ons wel mocht.

'Weet Phillip van mij en Kyle?'

'Ja.'

'Wil hij ons zien?'

Ze zweeg even. 'Ik weet zeker dat hij jullie heel graag wil ontmoeten.'

'Maar heeft hij gezegd dat hij ons wil ontmoeten?'

'Hij heeft het erg druk. In het weekend doet hij aan sport. Golf, squash, triatlon.'

'Hij wil ons helemaal niet ontmoeten, hè mam?'

Ze haalde diep adem. 'Het ouderschap is op dit moment niet een van Phillips prioriteiten.'

'En is het ouderschap een van jouw prioriteiten, mam?' Meteen toen ik het gezegd had, wist ik dat ik over de schreef was gegaan.

'Doe niet zo belachelijk,' siste ze. 'Moet jij eens goed luisteren. Ik heb je gebeld om dit met je te delen, omdat je me dat gevraagd had. Dat hoefde ik niet te doen. Je zult eens moeten leren dat het niet is omdat jij een vraag hebt gesteld dat je daarom het antwoord krijgt dat jij wilt horen.'

Stilte.

'Ik geloof dat we even genoeg gepraat hebben. Wat jij?'

'Ja,' fluisterde ik.

'Ik zie je in het weekend,' zei ze, en ze legde neer.

Ik ging op mijn rug liggen en drukte het kussen tegen me aan. De man die mijn moeder had ingepikt, had dus een naam. Hij heette Phillip. Hij deed aan sport en hij had bepaalde prioriteiten. Ik vond hem al meteen niet aardig, maar toch wilde ik hem ontmoeten zodat ik nog meer dingen kon vinden waarom ik hem niet mocht. Erger nog, ik wilde graag dat hij me zelf wel eens wilde ontmoeten, en als het dan zo ver was, zou ik onverschillig en… puberachtig doen. Dan zou het misschien een van zijn prioriteiten worden om ervandoor te gaan.

Maar al dat gedoe met oma dan?

Ik ging op zoek naar pap. Hij zat op de bank te lezen.

'Je hebt nooit gezegd dat je een hekel had aan oma,' zei ik.

'Ik had geen hekel aan haar,' antwoordde hij zonder op te kijken. 'We waren het gewoon niet altijd met elkaar eens. En trouwens, ze is dood. Ik zag er het nut niet van in om haar dat na te dragen. En bovendien weet ik wel zeker dat ze, waar ze ook is, veel minder begaan is met wereldse beslommeringen dan vroeger.'

'Wat bedoel je daarmee?'

Hij legde zijn boek neer en gaf een klapje op de plek naast hem. Ik ging zitten.

'Je oma hechtte nogal veel belang aan sociale status. Ze dacht dat ik haar dochter af kwam pakken,' zei hij met een knipoog. 'Ze wilde je moeder liever zien trouwen met iemand die in maatpak naar zijn werk ging en lid was van een golfclub.' Hij glimlachte. 'Ik geloof niet dat ze in het hiernamaals stadskleding dragen. Ik stel me zo voor dat het van die losse, luchtige gewaden zijn.'

Voor mijn ogen zag ik het beeld van mijn grootmoeder – die altijd zo kritisch was – in een rieten stoel in de Hemel, met een zalmkleurige kaftan en een spookkippetje in haar schoot, en daar moest ik om lachen.

ACHTTIEN

Toen pap de volgende avond uit zijn werkplaats kwam, wist ik dat er iets te gebeuren stond. Hij ging onder de douche, net zoals hij dat altijd deed, maar in plaats van een uitgezakte joggingbroek en een T-shirt aan te trekken, deed hij een geklede broek aan met een hemd met korte mouwen en een kraagje. Hij had het zelfs gestreken. En hij droeg schoenen. Binnenshuis droeg hij nooit schoenen. Hij slofte altijd rond op zijn lange, platte, behaarde voeten. Maar los van dat alles zag hij er ook anders uit. Ik kon er maar niet de vinger op leggen.

En toen begon hij garnalen te pellen. Dat was heel ongewoon, want het was woensdag. Anders aten we alleen garnalen op maandag, of wel eens op zondag in de winter, omdat het vuilnis op dinsdagochtend werd opgehaald en als je de stinkende hulsjes van de garnalen in de vuilnisbak liet zitten, rook de hele oprijlaan naast het huis ernaar en dan waaide het zelfs binnen door het raam van Kyles kamer. Het leek wel of hij met een dode olifant in bed moest liggen, zoals hij er een heisa over maakte.

'Weet jij waar de stoffer is?' vroeg pap.

Hij lag op het tafeltje in de hal. Pap had hem daar laten liggen na het incident met de dronken Janey. Ik ging hem halen.

'Bedankt, liefje,' zei hij. 'Daar heb ik dagen naar gezocht.'

'En, wat moet dit?'

'Wil je me de saffraan even aangeven?' vroeg hij.

Ik gaf hem de saffraan en hij pakte er een volle theelepel van en gooide het in de pan. Dat was wel heel erg ongewoon, want saffraan is duurder dan goud en dus gebruikt hij er nooit meer dan een snuifje van.

'Wie komt er op bezoek?' vroeg ik.

Hij nam een lepel en pakte wat van het mengsel. Hij hield er zijn hand onder en hield me de lepel voor. 'Proef eens. Moet er nog zout bij?'

Ik proefde. ''t Is goed, zo.'

'Alleen maar goed?'

''t Is prima.'

'Is het niet te sterk gekruid?'

'Pap! Wie komt er op bezoe-hoek?'

'Heb ik je dat niet gezegd?' zei hij met een onschuldig gezicht. 'Liz zei dat ze straks misschien even langs kwam.'

Liz, niet Elizabeth.

'Dan doe je wel een hoop moeite voor iemand die misschien even langs komt,' merkte ik op.

Pap pakte me bij mijn schouders. 'Zeg eens eerlijk, hoe zie ik eruit?'

Ik staarde hem aan. 'Je linkeroog is een beetje rood.'

'Ja, dat weet ik. Ik heb er per ongeluk wat chili in

gewreven. Prikt vreselijk, dat kan ik je wel zeggen. Maar dat gaat wel over. Ik heb mijn haar laten knippen,' zei hij, terwijl hij zijn haar aan de zijkanten gladstreek. 'Maar wat is je algemene indruk?'

Hij had zijn haar laten knippen. Dat was het dus. Ik bekeek hem aandachtig. Qua algemene indruk had hij er in jaren niet zo goed uitgezien. Hij had natuurlijk nog wel rimpels, maar het waren blije lachrimpels. En zijn ogen straalden en zijn wangen gloeiden. Hij zag er hoopvol uit.

'Je ziet er goed uit.'

'En dat hemd?' vroeg hij, terwijl hij er even aan plukte. 'Ik heb het al zo lang dat ik dacht dat het wel weer in de mode zou zijn.'

'Pap, je ziet er echt goed uit.'

Hij keek omhoog naar het klokje op de magnetron. 'Nog een half uur,' zei hij. 'Ze zei dat ze hier misschien rond achten kon zijn. Kun jij wat muziek opzetten?'

Ik slenterde naar de CD-speler. 'Wat had je gewild?'

'Wat dacht je van Barry White?' riep hij, boven het geknisper van de wok uit.

'Dat leg je op als je iemand wil versieren!' protesteerde ik.

'Te opvallend, vind je? En Bryan Ferry?'

'Dat is zoooo ouderwets! Wat dacht je van die Latijnse jazz die je hier hebt?'

'Dat is het,' antwoordde hij.

Er werd op de deur geklopt. Pap stak zijn hoofd om de hoek en gaapte me aan met een paniekerig gezicht. 'Ik ben nog niet klaar,' fluisterde hij. Hij worstelde even met de schort die hij droeg en toen hij hem eindelijk over zijn hoofd had getrokken, stond zijn haar aan de zijkanten omhoog zoals altijd.

'Het loopt gesmeerd,' zei ik, 'dat zul je zien.'

Ik duwde de CD-speler dicht, drukte op Play en toen ging ik de deur opendoen.

Janey stond tegen de gevel geleund met één voet tegen de muur opgedrukt. Ze had haar armen over elkaar geslagen. Elizabeth stond naast haar. Ze droeg lange, slingerende oorbellen en ze drukte een fles wijn in een bruine, papieren zak tegen zich aan.

'Hallo, Bindy,' zei Elizabeth met een stralende glimlach – net iets te stralend.

'We blijven niet,' zei Janey. 'Ze kunnen me niet dwingen.'

'Janey, ga naar binnen,' zei haar moeder. Ze glimlachte nog altijd naar me, maar er zat een trilling van frustratie in haar stem. Ik vermoedde dat ze ruzie hadden gehad in de auto.

'Je kunt me niet dwingen,' antwoordde ze.

Elizabeth zuchtte. 'Blijf dan maar een hele avond op de stoep staan. Kan mij wat schelen.'

Janey duwde zich met haar voet van de muur af en ging op de drempel zitten, met haar rug naar ons toe.

Ik ging opzij. Elizabeth gaf mij de fles en liep langs me heen de gang door.

Pap kwam haar tegemoet in de woonkamer en gaf haar een snelle zoen op haar lippen. Elizabeth slaakte een verbaasd ooo-kreetje en lachte toen nerveus. Ze begonnen allebei tegelijk te praten.

'Ik heb…'

'Ik kocht…'

Ze lachten allebei.

'Na jou,' zei pap.

'Nee, jij eerst,' zei Elizabeth.

'Alsjeblieft, ik sta erop,' zei pap.

Ik zuchtte. 'Pap heeft Choo Chee klaargemaakt,' zei ik, 'en Elizabeth heeft een fles…' ik trok de wijn uit de zak, 'rood gekocht.'

'Klinkt heerlijk,' zei Elizabeth.

'Fantastisch,' zei pap. 'Ik zal hem voor je openmaken.'

Hij pakte de fles wijn van me over en liep de keuken in om een kurkentrekker te halen.

'Is Janey niet meegekomen?' vroeg hij.

'Janey vindt het prettiger om op de drempel te zitten wachten,' antwoordde Elizabeth.

'Ik weet wel zeker dat ze vroeg of laat vanzelf naar binnen komt als we haar met rust laten. Janey is niet iemand die het zonder aandacht kan stellen. Bindy, kun jij de tafel dekken, alsjeblieft?' vroeg hij. 'Met de tulpen.'

'Weet je dat zeker?' vroeg ik.

Het tafelkleed met de tulpen was echt feest. Hij had het geërfd van zijn moeder. Ze had zelf de gele tulpen en de blauwe korenbloempjes langs de geschulpte randen geborduurd. Het was zo bijzonder dat we het nog niet één keer gebruikt hadden, voor zover ik het mij kon herinneren. Om de paar jaar haalde pap het met een of andere lenteschoonmaak uit de kast en dan waste en streek hij het en daarna borg hij het weer netjes op.

Liz was kennelijk héél erg bijzonder.

'Stel dat er Choo Chee op gemorst wordt?'

'Het heeft geen zin om mooie spullen te hebben als je niet van plan bent om ervan te genieten,' antwoordde hij.

Nadat ik de tafel had gedekt, bleef ik nog een poosje in de buurt van de keuken rondhangen om naar het gesprek van pap en Elizabeth te luisteren. Elizabeth schonk wijn uit en daarna nam ze twee onderzetters van de vensterbank en zette de glazen erop. Wie legt er nu onderzetters op het aanrecht? Op het aanrecht heb je toch geen onderzetters nodig! Ik rolde mijn ogen in hun richting en knikte naar pap. Zie je nu wel? Zié je nu wel? Maar het zag ernaar uit dat hij me negeerde.

'Waarom ga jij niet eens kijken wat Janey aan het doen is?' stelde hij voor.

Ja zeg, dat leek me wel wat! Misschien kon ze nog een paar scheldwoorden voor me bedenken?

'Toe maar,' zei hij, terwijl hij met de theedoek een klapje op mijn achterwerk gaf.

Kyle kwam zijn kamer uit. 'Alles goed, Elizabeth?' vroeg hij, terwijl hij zich over het aanrecht boog om een stengel van de koriander te plukken die op het hakblok lag. Daarna leunde hij tegen het aanrecht en hij begon te kauwen.

'Noem me toch Liz,' zei ze, met een gek rukje van haar hoofd waar haar oorbellen van rinkelden. 'Ten slotte zijn we nu toch vrij… intiem.'

Heel even zei Kyle niets. Hij stond alleen maar met open mond te kauwen op zijn koriandertakje. Dat was nog zoiets waar zij een hekel aan had. Ik vroeg me af of ze hem erop zou wijzen nu ze toch vrij… intiem met elkaar omgingen.

'Vanzelf. Liz dus. Dat is cool.'

Pap stond met zijn rug naar Kyle toe en vanuit mijn ooghoek zag ik hoe hij Elizabeth heel snel een betekenisvolle blik toewierp. Wat had dat nu weer te betekenen? Aan welke kant stond hij nu eigenlijk?

NEGENTIEN

Janey zat niet op de drempel. Ik holde de trappen af en keek over de omheining de straat in, maar ik zag haar nergens. Ik keek het smalle laantje in dat naast het huis liep. Ze leunde naast de vuilnisbak tegen de muur en ze hield een sigaret tussen haar duim en wijsvinger.

'Wat doe jij?' vroeg ik.

Ze draaide zich met een verrast gilletje naar me toe. En daarna legde ze haar hand op haar borst. 'Bindy, je laat me schrikken.'

'Rook jij?'

Janey schudde haar hoofd. 'Geen tabak.' Haar stem klonk gespannen omdat ze de rook in haar longen hield. Ze liet hem weer ontsnappen en hij wervelde in sierlijke krullen boven haar hoofd weg.

'Is dat marihuana?' Ik kon mijn oren niet geloven.

Ze hield me de sigaret voor. 'Ook een trekje?'

'Nee! Janey, dat zijn drugs!'

Ze schudde haar hoofd. 'Het kan helemaal geen kwaad. Integendeel, het is zelfs goed voor je. Het heeft heel wat medische eigenschappen, dat is wetenschappelijk bewezen. Maar de grote farmaceutische bedrijven willen dat niet aan ieders neus hangen. Ze willen niet dat mensen hun eigen medicijnen gaan kweken in hun achtertuin. De bedrijven hebben de regering aan hun kant. Zij zijn het ook die hun campagnes betalen.'

'Wie heeft je dat allemaal verteld?' vroeg ik.

'Nick, de broer van Mitchell,' zei ze, terwijl ze nog een trekje van haar sigaret nam.

'Is hij ook degene die je dat spul verkoopt?'

Ze schudde haar hoofd en liet de rook ontsnappen. 'Ik hoef niks te betalen. Hij zegt dat hij meer spul op het tapijt knoeit dan ik oprook. Het geeft dus niet.'

'Hij laat je dus nóg niet betalen,' zei ik. 'Hij wacht tot je niet meer zonder kunt en dan zal hij je heus wel laten betalen.'

'Je raakt er niet eens aan verslaafd,' antwoordde ze. 'Dat is alleen maar propaganda. Er zijn nu eenmaal mensen die vatbaarder zijn voor verslaving dan anderen. Het is net als met astma.'

'Dat heeft Nick je ook verteld, hè?'

Janey knikte. 'En, wil je wat?'

'Nee, bedankt.'

'Hoe weet je nu dat je het niet lekker zult vinden?' vroeg ze.

Ik schudde mijn haar uit mijn ogen. 'Ik heb geen zin om een junk te worden.'

Janey snoof. 'Van één trekje raak je heus niet verslaafd, hoor. Je zou het eerst eens moeten proberen voor je doet alsof het allemaal zo slecht is. Als het je niks zegt, weet je tenminste wat je mist.'

'Toch maar liever niet, Janey,' zei ik. Ik liep langs haar heen in de richting van de achterdeur.

'Jammer voor jou,' zei ze, terwijl ze haar peuk uittrapte en achter me aan liep.

In de keuken hoorde ik Elizabeth lachen, en toen viel pap in met zijn diepe bas. Ze hadden het echt wel naar hun zin.

Janey liep naar binnen en plofte op mijn bed. Ik ging op de vloer zitten met mijn rug naar de muur en staarde haar aan. Haar ogen waren rood en glazig.

'Jongens, het eten staat op tafel,' riep pap op de gang.

Ik begon overeind te komen.

'Hoe zit het met plan C? De hongerstaking?' vroeg Janey. 'Ik wist wel dat je bakzeil zou halen.'

'Je wil gewoon niet dat ze zien dat je drugs hebt gebruikt.'

Ze kneep haar ogen tot spleetjes. 'Jij moedigt ze juist aan.'

'Nietes.'

Janey legde haar ene been over haar andere en keek de kamer rond. 'Welk stuk wil jij? Ik geloof dat ik mijn stuk van de kamer paars ga schilderen, of misschien oranje,' zei ze.

'Zo is het wel genoeg. Ik ga het ze vertellen,' zei ik, terwijl ik ging staan.

Ze knikte in de richting van mijn kabouterposter. 'Die moet er echt uit.'

'Dat kun je niet maken. Hij betekent zoveel voor me.'

Janey haalde haar schouders op. 'Iedereen moet offers brengen.'

We staarden elkaar aan.

'Denk je dat het zo volwassen is om een junkie te zijn?' vroeg ik.

Ineens ging ze rechtop zitten. 'Misschien moest ik maar gewoon wachten tot jij een keer bij je moeder bent, en dan haal ik hem van de muur en ik scheur hem in duizend stukken.'

'Er zit een laagje plastic op.'

'Dan pak ik wel een schaar!'

Ik schudde mijn hoofd. 'Jij bent echt een kreng. Ik weet niet waarom ik je ooit heb gemogen.'

Janey keek uit het raam. 'Tja, je kunt er maar beter aan wennen.'

We moesten pap en Liz echt zo snel mogelijk uit elkaar zien te drijven. Kon me niks verdommen wat zij daarvan vonden, ik wist maar al te goed dat mijn leven met Janey – de nieuwe, volwassen Janey – een nachtmerrie zou worden.

TWINTIG

Er gebeurde iets heel geks in de les informatica. Ik zat gewoon in mijn uppie, zoals gewoonlijk, toen Cara – die boter-kaas-en-eieren met me speelde – naast me kwam zitten.

'Heb je die taak voor Engels al af?' vroeg ze. 'Ik heb hem nog niet gemaakt. Ik weet echt niet wat ik moet doen. De dag ervoor moeten we een taak voor geschiedenis inleveren, is het niet? Geschiedenis ligt me veel beter…' en blablabla.

Het was zo verdacht. Ik vertelde haar wat ze wilde weten voor haar taken, en ik dacht dat ze dan wel op zou staan en weg zou lopen, maar dat deed ze niet. Ze bleef maar zitten kletsen.

'Wat doe je dit weekend? Ik zou gaan ijsschaatsen, maar nu gaat het toch niet door. Ik denk dat ik rustig een avondje thuis blijf – misschien een paar films kijken…' en blablabla.

En aan het eind van de les nam ze geen afscheid met: 'Het was leuk praten met je,' om daarna terug te gaan naar Hannah en de anderen. Nee, ze bleef wachten tot ik mijn spullen bij elkaar had en toen volgde ze me naar Blok B. Toen ze bij mijn plekje aangekomen was, liet ze haar tas vallen en ging in kleermakerszit op de grond zitten.

'Wat ging jij ook weer doen dit weekend?' vroeg ze.

Ik besloot dat ik maar beter vriendelijk kon blijven tot ik wist wat dit te betekenen had.

'Ik hoor eigenlijk ergens naartoe te gaan met mijn moeder,' zei ik. 'En ik ben een beetje nerveus, want de vorige keer dat ik haar zag, hebben we ruzie gehad.'

'Woont ze dan niet bij jou?'

'Nee, mijn ouders zijn niet meer bij elkaar.'

'Wat zielig voor je,' zei ze. 'Ik kan het me gewoon niet voorstellen.'

Ik knipperde met mijn ogen. 'Ik ben helemaal niet zielig. Ik snap niet hoe ze ooit samen konden zijn. In het begin, voor ik geboren was, konden ze vast met elkaar opschieten, maar het zijn absolute tegenpolen. Ik zou het me niet kunnen voorstellen dat ze zouden samenleven.'

Cara graaide in haar tas en haalde er een pak koekjes uit. 'Wil je er ook één?'

'Bedankt, en eh…' begon ik. *Waarom kom je eigenlijk bij me zitten?* 'Hoe gaat het met jou?'

Cara keek even naar de grond terwijl ze op haar koekje knabbelde.

'Ik trok altijd met Hannah op. Het grootste deel van de basisschool was ze mijn beste vriendin. Hannah's vader is een zakenman of zo die de hele tijd overzee is. In de derde klas is Hannah naar Kuala Lumpur verhuisd.

In de vierde klas was ze terug en de vijfde klas heeft ze in Jakarta gelopen. Ik schreef haar twee keer in de week. Toen kwam ze weer terug voor de zesde klas en toen, in de eerste van de middelbare kwamen de andere meiden bij ons zitten.'

Cara zweeg even. 'Ik ben een beetje nijdig omdat ik zoveel moeite heb gedaan om haar vriendin te blijven, zelfs toen ze in het buitenland zat. Ik had ook andere vriendinnen kunnen maken. En nu lijkt het wel of ze alles vergeten is.'

Ik wist hoe dat voelde.

'Hannah is altijd al bazig geweest – ze zei altijd wat ik moest doen of wat ik moest aantrekken – maar nu ze met Janey is, is ze compleet opgefokt. Snap je wat ik bedoel?'

'Jep.'

'Ze kijken op iedereen neer – zelfs op hun vriendinnen. Ze denken dat ze beter zijn dan alle anderen. Het is echt hard werken om met ze op goede voet te blijven.'

Ik knikte en pakte nog een koekje.

'En nu gaan ze ook nog gemeen doen. Ze jutten elkaar op. Jij bent anders. Jij zit er kennelijk niet over in wat anderen over je zeggen. Zo zou ik ook willen zijn. Vind je 't goed?'

Ik fronste verbaasd mijn wenkbrauwen. 'Vind ik wat goed?'

'Mag ik bij je zitten?' En ze bleef maar kwebbelen. 'Ik dacht dat het jou ook wel goed uit zou komen, omdat je hier in je eentje zit. Tenminste, meestal, als James er niet is.'

Ik glimlachte. 'Tuurlijk.'

Ze keek opgelucht.

Cara zat naast me bij wiskunde en maatschappijleer. Het was gek om weer naast iemand te zitten – en slecht voor mijn concentratie.

Voor wetenschappen zat ik weer op mijn gewone plekje naast James. Cara trok een kruk bij en ging aan mijn andere kant zitten. James fronste zijn wenkbrauwen en boog zijn hoofd naar me toe.

'Vind je 't goed?' fluisterde ik.

James knikte, maar hij leek niet erg overtuigd. Hij schreef iets achter in zijn schrift en schoof het naar me toe terwijl hij het zo ongeveer afdekte met zijn arm zodat Cara het niet kon zien. SPION? stond er.

'Ik denk het niet,' mompelde ik.

Cara leunde op de bank, terwijl ze haar hoofd op haar hand liet rusten. 'Zijn jullie "samen", of zo?'

'We hebben nog geen seks gehad, als je dat wil weten,' antwoordde hij.

Ik gaf hem onder de bank een stomp die hem het zwijgen op moest leggen. 'We zijn gewoon goede maatjes,' zei ik.

James onderstreepte het woord in zijn schrift drie keer.

'Ik kijk wel uit,' zei ik zachtjes.

Die avond kwamen Liz en Janey langs. Janey en ik gingen aan weerskanten van de bank naar de televisie zitten kijken terwijl pap en Liz voor het eten zorgden.

'Je bent ineens zo dik met Cara,' zei ze.

Ik hield mijn handen naast mijn hoofd als de oog-kleppen van een paard.

'Zie je wel? Dat bedoel ik nu,' zei ze.

Ik begon steeds maar weer 'lalala' te zeggen tot ze ophield met praten.

Na een poosje begon Janey opnieuw. 'Het is echt een zielenpoot, weet je. Ze kwam zeker bij je uithuilen? En wat zei ze over ons? Ik wed dat ze zei: "Ze houden geen rekening met mijn gevoelens". Ze heeft zoooo'n mede-lijden met zichzelf. Het is een echte slijmbal. Het zal niet lang duren voor je haar spuugzat bent.'

Ik veranderde van onderwerp. 'En, is het al afgelopen met de hongerstaking?' vroeg ik. De geuren die uit de keuken kwamen, waren beslist verrukkelijk.

Ze schudde haar hoofd. 'Ik eet in ieder geval niet.'

'Ik heb je vandaag op school zien eten!' zei ik.

Janey vouwde haar armen over elkaar. 'Het is net als met de veertigurige vasten. Je hoeft het alleen maar te doen wanneer ze kijken.'

'Wat stom,' zei ik. 'Vooral als je niet eens van plan bent om het echt te doen.'

'Jij bepaalt de regels niet. Het was mijn idee. Jij kwam met geen enkel idee aanzetten, weet je nog?'

Toen zwegen we allebei want Liz kwam de kamer in. Ik lag met mijn voeten op het salontafeltje en ze keek ernaar en fronste haar wenkbrauwen. Ik trok mijn voe-ten bijna in, maar toen bedacht ik dat dit wel mijn huis was en dat het dus mocht.

'Het eten is zo klaar,' zei ze.

'Wij hoeven niks,' zei Janey nukkig, en toen leunde ze

achterover en ze legde haar voeten over de leuning van de stoel en liet ze op en neer zwaaien.

Liz legde haar hand over haar ogen. 'Dat heb ik niet gezien, Jane Madden. Ik zie het gewoon niet.' Daarna liep ze terug naar de keuken.

'Ga je dit weekend naar je moeder?' vroeg Janey aan mij.

'Waarom?'

'Zomaar,' zei ze. Maar er was wel degelijk een reden waarom ze dat vroeg, zo ontdekte ik later.

'Ik ga naar mijn kamer om mijn huiswerk te maken,' zei ik, terwijl ik opstond.

'Wacht even, je hebt me niet verteld wat ze gezegd heeft.'

'Wie?'

'Je nieuwe maatje, Cara-de-zielenpoot, natuurlijk.'

'Cara is geen zielenpoot. Ze is aardig, heel wat aardiger dan jij. Jij bent gewoon onbeschoft,' zei ik.

'Ik ben altijd al onbeschoft geweest,' antwoordde ze.

EENENTWINTIG

Mam kwam me op vrijdagmiddag oppikken en ze bracht me zondag na de middag pas weer terug. Zo kwam het dat ik het hele incident gemist had. Als ik er wel was geweest, had ik mezelf een knoert van een trauma kunnen besparen.

Ik sprong in de auto en wachtte tot mam 'Wat gaan we dit weekend doen, pluimpje?' zou zeggen, maar dat deed ze niet. Ze zei alleen maar: 'Ik heb zin in een restaurant waar je zoveel mag eten als je op kunt.'

We reden een poosje en toen stopten we bij een familierestaurant in de buurt van het strand. Het zat tjokvol met verjaarspartijtjes voor kinderen en uitgebreide families die zaten te bunkeren. De ober gaf ons twee lege borden. We gingen in de rij staan voor de bain-marie-pannen en we schepten onze borden vol. Daarna gingen we in de hoek bij het raam zitten.

'Hoe gaat het op school?' vroeg ze.

'Vrij goed.'

'Haal je goede cijfers?'

'Ja hoor, ik heb heel goede cijfers.'

Ze staarde me een ogenblik aan. 'Ik vraag je dat omdat het me echt interesseert. Ik wil dat je het goed doet, op school, Bindy. Een goede opleiding is erg belangrijk. Je bent een verstandige meid. Ben je altijd geweest. Heel stabiel. Jij kunt alles worden wat je wilt.'

'Weet ik, mam.'

'En wat wil je gaan doen?' vroeg ze.

Ik haalde mijn schouders op.

'En hoe gaat het met de kleine Janey Madden?'

Ik keek neer op mijn bord en begon mijn eten van de ene naar de andere kant te schuiven. 'Janey en ik schieten niet meer zo goed op.' Ik wierp een snelle blik op haar en keek toen weer weg. 'Pap en Elizabeth zijn, nu ja…' Ik liet de zin zo'n beetje in de lucht hangen.

Mam deed alsof ze me niet gehoord had, of misschien hoorde ze me echt niet. 'Toen jullie klein waren, waren jullie altijd twee handen op één buik,' zei ze. 'En wie is er nu je beste vriendin?'

'Heb ik eigenlijk niet.'

'Zit je nu in een groepje? Zo gaat dat meestal. Mijn beste vriendin van de basisschool was Francine Aldemar. En toen ging ze naar de een of andere katholieke school en ik heb haar nooit meer teruggezien. Stel je voor, zeg. Ik vraag me af wat er van Francine geworden is.'

Ik nam een hap van mijn eten.

'Hoe gaat het met Kyle?' vroeg ze.

'Gaat wel.'

'Waar is hij mee bezig?'

Ik nipte van mijn drankje om wat tijd te winnen. Ze vroeg altijd naar hem, en het was niet eerlijk dat ik eeuwig en altijd manieren moest verzinnen om haar vragen te ontlopen.

'Hij is trainer van het voetbalteam op school.'

Mam glimlachte. 'Fantastisch! Ik dacht dat hij het voetballen had opgegeven na zijn ongeluk. Ik ben zo blij. Ik heb hem nog gezegd dat hij meteen weer terug het veld op moest, maar hij reageerde toen zo prikkelbaar dat ik het maar zo gelaten heb. En nu heeft ie het in zijn eentje geklaard. Vind ik echt fijn.'

Haar toespraakje maakte me nieuwsgierig. Geen van tweeën had ooit gezegd wat er precies tussen ze was voorgevallen.

'Vertel me nog wat meer over dat voetbalteam,' zei ze, terwijl ze van de bank glipte om haar bord nog een keer vol te gaan scheppen.

Ik glipte op mijn beurt van de bank. 'Kyle wil dat ze nieuwe truitjes krijgen, maar de school wil er geen kopen. Ze hebben niet genoeg geld.'

'Je kunt het geld ook ergens anders vandaan halen,' zei ze.

'Waar vandaan dan wel? Mensen stoppen je niet zomaar geld toe,' antwoordde ik.

'Jawel, hoor. Dat noemen ze sponsoring,' zei ze, terwijl ze een grote homp knoflookbrood pakte. 'Bij professionele teams gaat dat ook zo. Hoeveel hebben ze nodig?'

Ik haalde mijn schouders op.

'Je kunt altijd een tombola organiseren, of een rommelmarkt,' zei ze.

Toen we klaar waren, veegde ze haar mond af met

haar servet. 'Wil je hier een dessert eten? Of zullen we ergens ijs gaan kopen om het thuis op te eten?'

'Gaan we naar jouw flat?'

Mam knikte.

'Is Phillip daar ook?'

'Phillip is dit weekend weg.

'Laten we naar huis gaan,' zei ik.

Mam woonde in zo'n tweeverdiepingflat die van een bedrijfsleider zou kunnen zijn, helemaal in blinkend chroom en perspex. Haar flat was waarschijnlijk groter dan ons huis. En hij zag er anders uit sinds ik er voor het laatst geweest was. Ze had de inrichting vernieuwd. Er stonden glazen sculpturen in kijkkastjes en er hingen zwart-wit foto's aan de muur van haar en Phillip, hand in hand op een jacht. Ze zagen eruit alsof ze reclame maakten voor een of ander duur parfum.

Alles paste bij elkaar. Het was helemaal niet zoals bij ons thuis waar alles een verschillende kleur had en enig in zijn soort was en daar toevallig verzeild was geraakt zoals in een tweedehandswinkel.

'Ziet er allemaal erg blits uit,' zei ik, terwijl ik rondliep. 'Zo netjes.'

Van de kamer waar ik gewoonlijk logeerde had ze een werkkamer gemaakt. Ik liet mijn tas naast de deur vallen. Alles was óf zwart, óf in een tint van talinggrijs. Er lagen wat papieren op het bureau, maar verder was het erg netjes – het zag er helemaal niet uit als het bureau van mijn vader met een half dozijn bakjes van inkomende post, zijn automeubilair en vieze koffiekopjes die overal rondslingerden.

Mam volgde me de kamer in en bleef met haar elleboog tegen de deurstijl geleund staan. 'Het is makkelijk om alles netjes te houden als...' begon ze. Ze bloosde en toen probeerde ze van onderwerp te veranderen. 'Wil je iets drinken? Ik haal iets te drinken voor je.' Ze verdween door de deur naar de keuken.

... *als er geen kinderen rondlopen*. Dat was wat ze had willen zeggen.

Ik liep terug naar de woonkamer en pakte een grote glazen kat die ik om en om draaide in mijn handen. 'Hoe oud was je toen je Kyle kreeg?'

'Vierentwintig – bijna vijfentwintig,' zei ze. Ik hoorde hoe ze de kastdeurtjes in de keuken opendeed en weer dichtklapte.

'En je bent getrouwd toen je tweeëntwintig was?'

Ze kwam de kamer in en zette de kan met frisdrank neer die ze mee had genomen. Ze nam de glazen kat van me over en zette hem weer op zijn plekje op het bijzettafeltje.

'Was dat jong?' vroeg ik.

Mam legde haar hoofd schuin. 'In die tijd was dat normaal. De meeste van mijn vriendinnen waren toen getrouwd of minstens verloofd. Er waren er maar een paar die niemand hadden.'

'Ik bedoel voor jezelf?'

Haar ogen vernauwden zich een beetje. 'Wat vraag je nu eigenlijk?'

'Ik vroeg het me alleen maar af.'

'Zullen we naar een film kijken?' zei ze. Ze deed de kast onder de televisie open. Hij zat vol DVD's. 'Kom jij er maar eentje uitkiezen.'

Ik knielde naast haar neer en ging snel door de titels.

'Wat dacht je van Alfred Hitchcock?' stelde ik voor.

'Die schijnt goed te zijn. Ik heb nog nooit een van zijn films gezien.'

'Schande!' zei ze. 'Goed, doen we *Vertigo* dan? Als je 't leuk vindt, kunnen we daarna nog naar *Rear Window* kijken. Gaan wij even lekker van een dubbele Hitchcock genieten.'

Ik haalde mijn schouders op. 'Lijkt me prima.'

Mam schepte twee kommetjes vol ijs. We gingen naast elkaar op de bank zitten en keken naar de film. Het was een van die dingen die ik ook met Kyle deed. Toen de aftiteling over het scherm rolde, vroeg ze me: 'En, wat vind je nu van Hitchcock?'

Ik negeerde haar vraag. 'Hadden jullie Kyle gepland?'

Ze zuchtte. 'Belinda, waarom stel je al die vragen? Wat wil je eigenlijk weten?'

'Ik wil gewoon weten hoe het vroeger was. Dat is toch normaal, niet?'

'Ik geloof niet dat het dat is wat je wilt weten.' Ze trok een van de kussens op haar schoot en liet haar vingers over de rand lopen. 'Wil je weten waarom ik weggegaan ben? Is het dat?'

Ik vouwde mijn armen over elkaar. 'Wilde je ons eigenlijk wel?'

'Tuurlijk wilde ik jullie.' Ze wreef in haar ogen. 'Ik zal niet ontkennen dat het je vaders idee was. Hij wist hoe hij jullie vast moest houden, en wat hij moest doen om jullie te sussen. Hij leek al die dingen gewoon te weten.'

Ze staarde me aan en ik had het gevoel of ik beschuldigd werd. Ik moest wegkijken.

'Kunnen we dan nu naar de andere film kijken?' vroeg ze.

'Ik wil het alleen maar weten,' zei ik.

Ze fronste haar wenkbrauwen. 'Wat dan? Wat wil je weten?'

Ik haalde mijn schouders op en wreef over een vlekje ijs dat op mijn T-shirt was gesmolten.

'Ik weet dat je denkt dat ik jullie in de steek gelaten heb. Je vindt dat ik het hoederecht van je vader had moeten aanvechten. Maar ik heb nooit gedaan alsof ik zo'n goede moeder was. Het beste wat ik voor jullie kon doen was jullie bij je vader laten blijven.'

Ik kon haar nog altijd niet aankijken.

'John en ik kunnen het niet meer met elkaar vinden. We zijn uit elkaar gegroeid, maar hij zorgt goed voor jullie. Ik vertrouw hem als jullie opvoeder.'

Omdat het je niks kan schelen. Dat dacht ik, maar ik zei het niet hardop.

'Kunnen we nu naar die andere film kijken?' vroeg ze.

'Ik ben nogal moe. Ik denk dat ik maar naar bed ga,' bromde ik.

'Wat wil je eigenlijk van me?' siste ze.

Ik vond het verschrikkelijk wanneer ze boos op me werd. Mijn hart ging er heel snel van slaan.

'Goed, dan ben ik maar een slechte moeder. Is het dat wat je wilt?' vroeg ze.

Ik voelde de tranen opwellen. Ik bedekte mijn gezicht met mijn handen zodat ze het niet kon zien. Dat was het niet wat ik wilde horen. Ik wilde haar alleen horen zeggen dat ze haar best zou doen om een betere moeder te zijn. Dat het belangrijk voor haar was. Dat ze me miste en dat ze wou dat ik meer bij haar was. Ik wilde haar horen zeggen dat ze er iedere keer kapot van was als ze me naar huis moest brengen. Zo *hoorden* moeders zich te voelen. Moeders hoorden niet te vergeten dat je bestond vanaf het ogenblik dat je de deur uit was, ze hoorden niet blij te zijn dat je hun flat niet in een puinhoop veranderde.

Ik wilde geen schuldbekentenis, ik wilde…

'Ik wil dat je van me houdt,' flapte ik eruit. Meteen toen ik het gezegd had, voelde ik me stom en melig. Tranen van frustratie liepen over mijn wangen.

Mam sloeg haar armen om me heen. 'Tuurlijk hou ik van je, suffie.'

Ik leunde tegen haar schouder aan en ze wiegde me heen en weer.

'Belinda, je moet leren leven met het idee dat ik nooit koekjes zal bakken of in het schoolcomité zal gaan. Dat is gewoon niks voor mij.'

Ze gaf me klapjes op mijn rug. 'Ik doe echt mijn best voor je, kleintje, maar zo simpel is het niet. Je hebt er geen idee van hoe zwaar het me valt dat iedereen weet dat John beter voor jullie kan zorgen dan ik.'

TWEEËNTWINTIG

Zaterdagochtend liep mam de kamer in toen ik pas wakker was.

'Morgen,' zei ik.

Ze klopte met haar gemanicuurde vingernagels op de deurlijst. 'Vind je dit een leuke kamer?'

Ik keek omhoog naar het plafond en liet mijn ogen over de muren gaan. Er was een schuifraam dat naar een klein terrasje leidde. Je kon de zee niet zien zoals in mams kamer, maar je had wel een mooi uitzicht over de vallei. 'Ja, hij is best leuk.'

''t Is gewoon dat ik, toen ik... toen wij hier naartoe zijn verhuisd, dat ik dacht dat dit zo'n beetje... jouw kamer kon worden. Maar ik had de indruk dat jij 't geen leuke kamer vond.'

'Nee, ik vind hem wel leuk,' zei ik. 'Ik heb hem altijd wel leuk gevonden, maar ik heb nooit het gevoel gehad alsof hij van mij was, dat is alles. Telkens wanneer ik kwam logeren, voelde het aan als jouw kamer...' *Ik wilde geen kasten of laden openmaken omdat ik dan misschien dingen te zien kreeg waar ik niks over hoorde te weten.*

Mam knikte.

We gingen brunchen in een cafeetje in het winkelcentrum dicht bij mams flat. We verdeelden de krant tussen ons tweeën. Mam las het economisch katern terwijl ik de strips las. Toen we klaar waren met eten, zuchtte mam. 'Wil je vandaag iets doen?'

Ik haalde mijn schouders op. Ik was het niet gewend om dat soort beslissingen te nemen.

'Wil je gaan winkelen? Heb je iets nodig? Kleren, boeken, iets anders?'

Ik schudde mijn hoofd.

'Wil je dat ik je naar huis breng?'

'Graag.'

Terwijl mam de rekening betaalde, keek ik stiekem op mijn horloge. Het was nog maar net twaalf uur geweest. De tijd die we aan elkaar besteedden, werd alsmaar korter.

Net toen ik uit de auto glipte, leunde mam over de passagiersstoel heen.

'Kun jij voor me uitzoeken hoeveel Kyle nodig heeft voor die truitjes? Misschien kan ik wat ideetjes aanbrengen als ik weet om wat voor bedrag het gaat.'

'Oké.'

Toen ik naar binnen liep, wist ik meteen dat er iets gebeurd was. Pap zat op de bank en hij zag er beroerd uit. Hij zei niks over het feit dat ik zo vroeg thuis was.

Ik liet mijn tas in de gang op de vloer vallen. 'Wat is er?'

'Kom even bij me zitten, liefje.'

Door die blik van hem begon ik al te denken dat er

iemand gestorven was. Ik ging naast hem zitten en hij hield mijn hand vast.

'Liz en ik zijn gisteravond uitgegaan,' zei hij. 'Janey zei dat ze aan een taak voor geschiedenis wilde werken op de computer van Kyle. Hij was bij vrienden en dus zeiden we dat het goed was. We zouden niet lang wegblijven – zo'n uur of drie, vier.'

Hij liet even een pauze vallen.

'Hebben jullie een ongeluk gehad? Is alles goed met Elizabeth?'

Pap hield zijn hand op om me gerust te stellen. 'Met Liz gaat het prima,' zei hij. 'Janey… Janey heeft wat mensen opgetrommeld terwijl we weg waren.'

'Hoe bedoel je?'

'Ze heeft een feestje gebouwd. Nu ja, een feestje was het niet echt, want voor zover we weten, waren ze maar met een stuk of vier, vijf.'

Ik wierp een blik door de kamer. 'Heeft ze rotzooi gemaakt? Wat is er stuk?'

'Hier niet, Bindy. Ze heeft het feestje in jouw kamer gehouden.'

Ik maakte aanstalten om overeind te komen, maar pap hield mijn hand vast en trok me weer naar beneden.

'De meeste rotzooi hebben we opgeruimd. Zo erg was het nu ook weer niet. Er is niks gebroken, er lagen wat flessen en lege chipsverpakkingen, dat soort dingen. Maar er is wel één ding…'

'Wat?'

Hij schraapte zijn keel. 'Je poster is nogal… toegetakeld. Ik heb geprobeerd het eraf te krijgen, maar ze hebben iets gebruikt wat er niet afgaat.'

Toen ik opnieuw overeind kwam, liet hij mijn hand los. Ik liep de gang door naar mijn slaapkamer. Die zag er net zo uit als toen ik weg was gegaan, op die ene vlek midden op het tapijt na. Hij zàg er wel hetzelfde uit, maar hij voelde anders aan. Iemand had met dikke viltstift een grote penis op mijn kabouterposter getekend. Het was vreselijk. Ook al zou ik het er ooit af kunnen krijgen, dan nog stond hij voor altijd in mijn hoofd gebrand. Ik had liever gehad dat Janey mijn poster aan stukken had geknipt zoals ze gedreigd had.

Ik wilde haar slaan.

Toen ik me omdraaide, zag ik pap in de deuropening staan. Hij liep naar me toe en sloeg zijn armen om me heen en ik begroef mijn gezicht tegen zijn schouder. 'Ik weet het, liefje. Het is verschrikkelijk wat ze gedaan heeft.'

En ik dacht nog dat dat het ergste was, maar dat was niet zo. Het ergste gebeurde pas twee dagen later.

DRIEËNTWINTIG

Maandag wachtte Cara me op bij onze plek voor Blok B. Ik vertelde haar over Janey's feestje.

'Dat is zooo zwak!' zei ze. 'Je vader had haar moeten laten oppakken voor inbraak.'

Ik schudde mijn hoofd. 'Dat doet pap niet. En bovendien was ze uitgenodigd.'

'Wat ga je doen?' vroeg ze.

Ik haalde mijn schouders op. 'Ik weet het niet. In het begin waren het nog kleine dingen, maar nu is ze compleet iemand anders geworden. De Janey die altijd mijn beste vriendin is geweest, zou nooit zoiets gedaan hebben. Vroeger wou ik dat we zusjes waren, maar nu wil ik niks meer met haar te maken hebben. Maar...'

Cara staarde me somber aan. 'Ik weet het. Tegelijk wil je dat een aantal dingen weer net zo waren als vroeger.'

Ik knikte.

Toen ik de klas inliep voor maatschappijleer zat Janey samen met Hannah aan de andere kant van het lokaal. We negeerden elkaar. Janey deed alsof ze niet op me lette, maar ik zag haar wel kijken.

Hannah gebaarde naar Mitchell en hij schudde zijn hoofd. Er was iets gaande. Ik wist niet wat het was, maar ik wist wel dat ze zaterdagavond met hun drieën in mijn kamer hadden gezeten en dat maakte me woest. Ik zag ze voor mijn ogen op mijn bloedeigen kamer zitten en ik haatte ze.

Ik wilde gaan schreeuwen tegen Janey om haar te laten weten wat ik vond van wat ze gedaan had, maar in plaats daarvan vertelde ik Cara over het voetbalteam van Kyle en dat ze geld bij elkaar moesten krijgen voor truitjes. Ik leunde dichter naar haar toe en fluisterde en lachte en giechelde alsof we het over iets opwindends hadden.

'Dat kunnen we toch samen doen?' zei Cara. 'Lijkt me leuk.'

Ze klapte haar handen tegen elkaar en grijnsde veel enthousiaster dan ze normaal had gedaan, als je bedenkt waar we het over hadden, maar ik wist dat ze dat deed om me te helpen. Ze had er net zoveel belang bij als ik om Hannah en Janey op stang te jagen.

We schoven een briefje heen en weer.

Mam zei dat we een tombola moesten houden.

We kunnen overal in de straat bij de winkels gaan vragen of ze geen prijzen willen geven. Bij de muziekwinkel misschien? CD's, dat zou geweldig zijn. Vooral de gesigneerde. En gratis concertkaartjes met een backstage pasje!

Meneer Gabler werd vreselijk boos op ons omdat hij wel merkte dat we niet bij de les waren, maar telkens wanneer hij ons een vraag stelde, konden we een antwoord geven. En Janey kreeg ook al de pee in. Ze bleef Cara en mij in de gaten houden.

Wat dacht je van een plantenstalletje? We zouden eigenlijk een truitjesboom moeten hebben.

Toen ik dat aan Cara doorgaf, lachte ze hardop alsof dat het grappigste was wat ze ooit gehoord had. Ze keek heel even op naar Janey met zo'n zelfgenoegzaam lachje om haar lippen.

Cara leunde naar voren en liet haar haar naar voren vallen zodat Janey en Hannah haar gezicht niet konden zien. Ze tekende een bloempje met vijf bloemblaadjes op de bladzij en ik sloeg mijn handen voor mijn mond alsof ik heel verbaasd was en ik zei geluidloos: 'Echt?' alsof ze me net iets ongelooflijks had verteld. Cara knikte wijs en toen begonnen we allebei te giechelen.

Janey loerde naar me met kleine varkensoogjes.

Toen de les afgelopen was, liep Hannah langs mijn bank. 'Je hebt wel een fantastisch feestje gemist, zaterdag,' zei ze.

Ik probeerde gevat uit de hoek te komen, maar dat lukte niet zo best en toen was Cara me voor.

'Mooie locatie, maar jammer van de mensen,' zei ze.

'Wij weten ten minste hoe we lol moeten trappen,' kaatste Hannah terug.

'Drie junks die ergens inbreken, noem jij dat een feestje?' vroeg Cara.

'We waren met z'n vieren,' zei Hannah.

'Da's een goeie,' zei ik, terwijl ik mijn twee duimen in de lucht stak.

Hannah wierp ons een vuile blik toe en toen banjerde ze naar buiten.

Cara en ik grinnikten naar elkaar, en toen liepen we

naar het lokaal van de laatstejaars om Kyle te vertellen over onze ideeën om geld in te zamelen. Toen we door de gang liepen, kwam Janey achter ons aan.

'Bindy, ik moet je spreken,' zei ze.

Ik bleef staan. 'Wat jij me te zeggen hebt interesseert me niet.'

'Ze wil niet met je praten,' zei Cara, terwijl ze haar arm door de mijne stak.

'Jij weet niet eens waar het over gaat, dus kun je beter je klep houden,' zei Janey tegen haar. Ze draaide zich naar me toe. 'Weet je nog wat ik gezegd heb? Ik probeerde onze ouders duidelijk te maken dat ze ons niet zomaar opzij kunnen schuiven.'

'Rot op, Janey,' zei ik.

Janey zette haar handen in haar heupen. 'En wat doe jij dan wel om te helpen? Helemaal niks! Ik moet ook àlles alleen doen.'

Ik draaide me snel om en ging pal voor haar staan. Mijn wangen gloeiden zozeer van woede dat ik dacht dat ze zouden ontploffen. Ze ging een stapje achteruit. 'Daar gaat het niet om, Janey,' zei ik, door mijn opeen-geklemde tanden. 'Ik heb je niet verklikt. Je zei dat je hem stuk zou maken als ik het vertelde, maar ik heb niks gezégd!'

Toen pakte ik Cara bij de arm en begon haar naar de trap te slepen.

'Wat heb je niet gezegd?' vroeg Cara.

'Zeg ik niet.' Over mijn schouder loerde ik naar Janey. 'Ik zeg het nog altijd niet!' schreeuwde ik haar toe.

Cara en ik liepen door, terwijl Janey in de gang bleef staan, met open mond en haar handen in haar zij.

Kyle stond al met meneer Clemens, de onderdirecteur, te praten over manieren om geld in te zamelen. We zagen hem voor het kantoor van meneer Clemens staan.

'Hier komen je supporters aan,' zei meneer Clemens. 'Ik zei net tegen Kyle dat ik echt wel onder de indruk ben. In plaats van beginnen te zeuren, hebben jullie zelf het initiatief genomen. Ik hoop dat je je aan het eind van het jaar opgeeft als aanvoerder, Kyle. Iemand zoals jij kunnen we gebruiken.'

Kyle bloosde. Ik was trots op hem. Hij zou een geweldige aanvoerder zijn.

'Dit hebben we wel vaker gedaan. Er zijn heel wat plaatselijke bedrijfjes die ons in het verleden gesteund hebben,' zei meneer Clemens. 'Waarom komen jullie met zijn drieën niet naar voren bij het plenum, om het aan te kondigen?'

Cara werd bleek. 'Dat kan ik niet doen. Niet voor zo'n massa mensen.'

'Tuurlijk kun je dat,' zei meneer Clemens.

Toen de bijeenkomst begon, liep ik met Cara naar het plein en we gingen op drie stoelen opzij van het podium zitten, samen met de anderen die iets te melden hadden, en we wachtten onze beurt af. Eerst kwamen alle gewone mededelingen zoals briefjes van de ouders om toestemming te geven voor een uitstapje, het schoonhouden van het schoolplein, de uitslagen van de voorbije sportevenementen. En toen vroeg meneer Clemens of Kyle voor de microfoon wilde komen.

'Dit jaar hebben we een min dertien voetbalploeg die wel eens zou kunnen doorstoten tot het Regionale Toernooi en misschien zelfs tot de Staatsbeker,' zei Kyle. 'Nooit eerder hebben we zulke beloftevolle junioren gehad, en we moeten dringend truitjes voor ze kopen zodat iedereen weet wie ze zijn als ze daar op het veld staan en een overwinning voor onze school in de wacht slepen.'

Kyle ging opzij staan. 'Kom maar, Bindy,' zei hij.

Cara kneep mijn arm zowat fijn. 'Ik durf niet. Ik doe het in mijn broek.'

'Nee hoor,' zei ik, en ik trok haar mee het podium op. Ze probeerde zich te drukken en verstopte zich achter Kyle.

Ik stond daar naar al die gezichten te kijken. Ik had nooit eerder vanaf een podium een menigte gezien. Ze deinden heen en weer als bijen op een honingraat. En toen begon ik naar ieder van die gezichten afzonderlijk te kijken. Ik had het gevoel of ik in mijn blootje stond, met alleen dat statief van de microfoon om me te beschermen. Mijn hart bonsde hevig en ik voelde de adrenaline in mijn maag stromen. Mijn keel zat dichtgeschroefd en de eerste woorden moest ik eruit persen.

Terwijl ik op mijn tenen stond, rekte ik me naar de microfoon toe. 'We waren van plan om een wedstrijd te houden om geld in te zamelen.' Mijn stem klonk erg luid en leek van heel ergens anders te komen. Ik ging een stap achteruit.

Kyle leunde naar me toe en draaide de microfoon naar beneden. Iedereen gniffelde.

Ik had het gevoel of mijn keel nog een speldenprik groot was. Toen ik voor me uit keek, zag ik Janey's gezicht tussen de menigte. Ze zat rechts achteraan roer-

loos naar me te staren. Haar gezicht was uitdrukking-
loos. Ik had het gevoel of ik daar al tien minuten stond.

'Jullie kunnen een bijdrage leveren aan deze nobele
zaak,' zei ik.

En toen zag ik ineens iets anders. Het leek wel een
mexican wave die door het publiek golfde, maar de be-
weging verspreidde zich meer als graaiende vingers vanaf
de achterkant van het plein. Er werd iets doorgegeven
van de een naar de ander. Wat? Het leek een prop papier
en het waren er in ieder geval meerdere. Net of er golven
door de menigte rolden. Ik telde. Er werden vier voorwerpen doorgegeven.

'Koop een biljetje van onze tombola,' begon ik opnieuw. En toen zweeg ik. De menigte begon te murme-
len naarmate de proppen papier van de ene hand naar
de andere gingen en het gemurmel zwol aan.

'… dan heb je kans om een prijs te winnen,' ging ik
door.

Wat was het toch?

De voorwerpen waren inmiddels halverwege het plein
gekomen – er werden er twee achteraan doorgegeven en
één in het midden en dan was er nog één ding dat heel
snel aan de linkerkant de ronde deed. Het geroezemoes
werd steeds luider – je hoorde geen aparte stemmen,
eerder rumoer.

En toen zag ik het. Een van de jongens gooide het
ding de lucht in en het vouwde zich open om weer naar
beneden te dwarrelen als een parachute. Het was ondergoed, marineblauwe slipjes. Je kunt ze overal in de supermarkt kopen in een verpakking van zeven stuks.

Inmiddels was iedereen aan het gillen en krijsen en schateren.

En toen zeilde er vanaf de zijkant nog een slipje door de lucht. Deze keer waren het lichtblauwe slipjes met roze bloemetjes. Ik voelde al het bloed uit mijn gezicht wegtrekken. De helft van de meisjes op het plein droegen waarschijnlijk precies hetzelfde ondergoed, of iets wat erop leek. Maar het was wel overduidelijk van wie dat ondergoed was. Pap had me vorig jaar, voor ik op kamp vertrok, mijn naam in keurige drukletters in al mijn kleren laten zetten.

Ik zocht Janey's gezicht achteraan. Ze lachte niet. Ze zat daar maar voor zich uit te staren. Mijn oren tuitten. Toen ik met mijn ogen knipperde, zag ik neonlichtjes verschijnen.

Hoe kon ze me dit aandoen?

Ik voelde me duizelig, alsof ik op het punt stond flauw te vallen. Ik sloeg mijn hand voor mijn mond en deed een stap naar achteren zodat ik tegen meneer Clemens aanbotste die achter me stond. Hij pakte me bij mijn schouders en schoof me opzij.

Ademen.

'Zo is het wel genoeg,' zei hij in de microfoon. 'Willen een paar leerkrachten die... dingen gaan ophalen?'

De leerkrachten baanden zich snel een weg door de menigte en graaiden in het voorbijgaan het ondergoed mee. Iedereen zat nog steeds te joelen en te brullen.

Kyle pakte me bij mijn arm en loodste me van het podium af.

'Wat is er?' vroeg hij.

'Dat is mijn ondergoed,' fluisterde ik. Ik voelde tranen van gêne opwellen.

Cara sloeg haar handen voor haar gezicht. 'Mijn hemel, dat is je reinste nachtmerrie.'

Kyle en Cara stonden voor me, als een schild tussen mij en de menigte.

'Zo is het genoeg!' riep meneer Clemens.

De menigte kwam stilaan tot bedaren.

Hij stond daar naar de leerlingen te kijken. 'Misschien vinden jullie dit een goeie mop, maar het is echt niet grappig. Dit lamentabele gedrag druist helemaal in tegen de geest van onze school en ik schaam me voor ieder van jullie die hieraan heeft meegedaan. We zullen uitzoeken wie erachter zat en ze zullen streng gestraft worden.'

Hij bleef ze nog even aan staan staren. 'Zoiets mag nooit meer gebeuren op deze school.'

Stilte.

'Ingerukt,' zei hij, terwijl hij ze met zijn hand wegwuifde.

VIERENTWINTIG

Mevrouw Sumati, de zorgcoördinator, begeleidde Cara, Kyle en mij naar het kantoor van de onderdirecteur. Mijn ondergoed lag in een plastic tasje midden op zijn bureau. Meneer Clemens zat te bellen.

'Nee, ze maken het allebei prima.' Hij gebaarde naar ons dat we mochten gaan zitten. 'Maar er is een incident geweest met Belinda… Nee, niks van dien aard, maar we zouden het fijn vinden als je kon komen… Geweldig John, tot zo.'

Meneer Clemens hing op en duwde zich een eindje van zijn bureau af. 'Belinda, het spijt me werkelijk voor wat er net is gebeurd.'

Ik barstte in tranen uit. Hij reikte me een doos zakdoekjes aan. Iedereen keek naar me en ik voelde me zo stom, maar ik kon ook niet ophouden met huilen.

Kyle sloeg zijn arm om me heen. 'Het komt allemaal wel goed, Bindy, ik ga haar een flink pak rammel geven.'

'Wie zit hierachter volgens jullie?' vroeg meneer Clemens.

'Janey Madden,' antwoordde Kyle. 'Ze is helemaal

gestoord. Toen er niemand van ons thuis was, heeft ze een feestje gehouden in de kamer van mijn zus. Ze heeft mensen bij ons thuis uitgenodigd. Ze heeft gewoon een pak rammel nodig.'

Meneer Clemens leunde achterover. 'Heeft ze bij jullie ingebroken? Misschien moesten we er de politie maar bij halen?'

Kyle schudde zijn hoofd. 'Zo eenvoudig is het niet. Janey's moeder heeft iets met onze pa.'

Meneer Clemens zuchtte. 'Dat maakt de dingen wel een stuk gecompliceerder, dat begrijp ik. Maar het is natuurlijk geen excuus.' Hij stond op en liep naar de microfoon van de intercom.

'Jane Madden, wil je alsjeblieft naar het kantoor van de onderdirecteur komen? Jane Madden.'

Zijn stem echode over het lege plein.

Mevrouw Sumati leunde naar me toe. 'Die nieuwe relatie is vast wel moeilijk voor jou, Belinda. Vooral als je niet zo best met Janey kunt opschieten.'

'Bindy heeft geen probleem. Bindy reageert normaal,' zei Kyle. 'Het is Janey die hulp nodig heeft. Ze is gek; ik zei het al, om maar te zwijgen over haar nymfomane gedrag.'

'Zo, ik merk dat er tussen jou en Janey ook wel wat wrijving is,' zei mevrouw Sumati.

'Wrijving? Een feeks en een kreng en een achterbakse slet, dat is ze. Ze heeft een pak voor d'r broek nodig.'

'Dankjewel Kyle, we weten intussen wel hoe jij erover denkt,' zei meneer Clemens. 'Belinda, heb je bewijzen dat Jane hiervoor verantwoordelijk is?'

'Toe maar Bindy, je weet best dat het Janey was,' zei Kyle. 'Zeg het maar.'

'Ze heeft Bindy's ondergoed vast gestolen tijdens dat feestje,' zei Cara.

Ik keek naar mijn handen. 'Janey zei dat ze mijn spullen kapot zou maken.'

'Heeft ze je bedreigd? Waarom?' vroeg mevrouw Sumati.

Ik wilde niet klikken. Als ik ze vertelde waarom Janey me bedreigd had, zou ik alles moeten vertellen, en dat kon ik niet. Niet nadat ik er net zo'n zaak van had gemaakt. Wat konden ze trouwens doen? Haar een preek geven? En dan? Dat zou alles alleen maar erger maken. Janey zou een manier vinden om me terug te pakken en ze was duidelijk bereid om een heel eind verder te gaan dan ik.

'Belinda, je weet toch wat pesten is?' vroeg mevrouw Sumati.

'Ja.' Ik wist waar ze naartoe wilde. Ze wilde er een etiket op plakken zodat ze dit probleem kon opzoeken in haar handboek met disciplinaire maatregelen. 'Maar ik ben niet zo'n huilebalk die zich niet staande kan houden op school.'

Er werd op de deur geklopt. Meneer Clemens negeerde het. 'Ik wil dat jullie alledrie in de hal gaan zitten om een verslag te maken van wat hier vandaag gebeurd is. Als je klaar bent, ga je maar naar de klas. Belinda, als je vader er is, kun je naar huis gaan als je dat wilt. Als hij het ermee eens is.'

Hij gaf me de plastic tas en ik nam hem blozend aan.

'En nu wil ik eens horen wat juffrouw Madden hier-over te vertellen heeft,' zei hij.

'Ik hoop dat u een dwangbuis klaar hebt,' mompelde Kyle.

Janey wachtte in de gang met haar armen over el-kaar. 'Klikspaan,' zei ze.

'Ik heb niet geklikt. Hoefde ook niet. Het lag er veel te dik op dat jij het gedaan had,' zei ik. 'Ik hoop dat je iedere dag van je leven moet nablijven. Ik hoop dat je van school gestuurd wordt.'

'Je kunt helemaal niet bewijzen dat ik iets gedaan heb,' zei ze.

'Zo is het welletjes, meisjes,' zei meneer Clemens. 'Kom maar in mijn kantoor, Janey.'

'U kunt niet bewijzen dat ik het was.'

'Daar hebben we het meteen wel over.'

Janey liep hooghartig het kantoor in en de deur viel met een klik achter haar in het slot.

VIJFENTWINTIG

Pap kwam op school aan toen Cara en Kyle en ik ons verslag zaten te schrijven. Er stond zoveel bezorgdheid op zijn gezicht te lezen dat ik er weer helemaal huilerig van werd. Hij kneep even in mijn schouders voor mevrouw Sumati hem meenam naar haar kantoor om uit te leggen wat er was gebeurd. Cara omhelsde me voor ze naar de klas ging.

'Ik bel je nog, oké?' zei ze.

In de auto zag ik de straten voorbijflitsen, maar in mijn geest zag ik het hele gebeuren tijdens de bijeenkomst weer voor me. Het enige beeld dat steeds maar weer teruggespoeld werd, waren de slipjes die door de lucht dwarrelden. En iedere keer weer gloeide ik van pure schaamte en mijn ogen begonnen steeds weer te prikken.

Toen we thuiskwamen, stopte pap een dikke aardappel voor me in de magnetron. En terwijl we wachtten tot hij gaar was, gingen we samen aan de keukentafel zitten.

'Ik begrijp er niks van, pap. Ik begrijp echt niet wat

Janey heeft. Toen ze bij Hannah wilde gaan zitten, heb ik me er niet tegen verzet. Ik liet het maar gebeuren. En toen ze niet meer met me wilde omgaan, voelde ik me gekwetst, echt diep gekwetst, maar ik heb er niks van gezegd. Waarom doet ze zo gemeen tegen me? Waarom blijft ze alsmaar tegen mijn schenen schoppen?'

'Vraag jij mij hoe vrouwen in elkaar zitten?' vroeg pap. 'Ik zou het niet weten! Ik ben maar een gewone man. Het is één groot mysterie voor me.'

Ik zuchtte en liet mijn voorhoofd op mijn handen rusten.

Er lag een pen op het tafelblad en mijn vader pakte hem op en liet hem steeds weer sprongetjes maken op de placemat door zijn vinger op het uiteinde te laten vallen.

'Je weet dat ik niet graag over je moeder praat omdat ik het gevoel heb dat jullie relatie al genoeg onder druk staat zonder dat ik me er nog een keer mee bemoei.'

Ik knikte.

'Maar ik ga je wel één ding vertellen.'

Ik wachtte tot hij door zou gaan. Hij bleef de pen steeds maar sneller heen en weer kantelen.

'Toen ze me vertelde dat ze weg zou gaan, was ik niet verbaasd. Ik was triest, maar het verbaasde me niet. Het ging al een poosje niet goed.' Hij hield even een pauze. 'We zaten hier net zo'n beetje als jij en ik nu. Jullie lagen in bed. Ze vertelde het me en ik knikte, en we bleven stilletjes zitten. Na een poosje pakte ze wat spullen bij elkaar en toen ging ze weg.'

Ik zat heel stil te luisteren. Geen van mijn ouders had

me ooit iets willen vertellen over de manier waarop ze uit elkaar waren gegaan. Op een dag kwam mam bij ons zitten in de kamer van Kyle en toen zei ze dat ze een proefscheiding wilden, maar dat ze ons nog altijd in het weekend zou zien, en zo is het sinds die tijd gebleven.

'Een paar dagen later kwam ze weer langs om me haar nieuwe adres en telefoonnummer te geven en een paar dingen te regelen.'

Hij keek heel even naar me op en toen keek hij weer naar die pen.

'We hebben gepraat. Tenminste, zij praatte en ik luisterde. Ze was erg boos. Dat wist ik, ook al was haar stem heel beheerst. Als je vijftien jaar samen bent met iemand, weet je wel wanneer ze boos zijn, zelfs wanneer ze dat proberen te verbergen.'

Hij hield even op. 'Net voor ze naar buiten liep, draaide ze zich om en ze zei: "Ga je niet eens proberen om me tegen te houden, John?" Ik wist niet wat ik moest zeggen. Ik had er niet eens aan gedacht om haar tegen te houden. Ik wilde niet dat ze wegging, maar ze moest haar eigen keuzes maken. En toen zei ze dat het maar goed was dat ze wegging omdat ik niet genoeg om ons huwelijk gaf om ervoor te vechten.'

Hij tilde zijn handpalmen op. We staarden elkaar aan.

'Maar als ze niet bij je wegging, hoefde je dat ook niet te doen,' zei ik.

'Precies,' antwoordde hij.

De telefoon ging. Pap kwam overeind om hem op te nemen en leunde daarbij met zijn volle gewicht op zijn knokkels. Hij zag er ouder uit als hij op die manier overeind kwam. Hij klemde de hoorn van de telefoon onder zijn kin.

'Ja hoor, geen probleem. Tot straks, schat.'

Pap stak me de hoorn toe terwijl hij ermee heen en weer wiebelde.

Ik stond op en pakte de hoorn uit zijn hand.

'Bindy?' Het was Liz. 'Het spijt me zo.'

Ik wist niet wat ik moest zeggen, dus mompelde ik: 'Geeft niks.'

'Nee, dat is niet waar, het moet vreselijk voor je geweest zijn.'

Ik hield de telefoon tegen mijn oor en keek naar mijn vader die het eten begon klaar te maken. Hij sneed de aardappel in twee stukken, lepelde de inhoud eruit en brak een ei boven iedere helft. Daarna strooide hij er kaas overheen en zette beide helften onder de grill.

Liz rebbelde maar door. 'Janey weet zich geen raad met deze situatie, daarom verzet ze zich er zo heftig tegen. Ze weet dat jij en Kyle een hechte band hebben en John en ik hebben ook een hechte band. Ze is gewoon bang dat zij altijd het vijfde wiel aan de wagen zal blijven.'

En dan los je dat op door mij voor schut te zetten voor de hele school?

'Dat is geen excuus voor haar gedrag van vandaag,' zei ze, 'maar ik dacht dat je haar in ieder geval een beetje beter zou begrijpen.' Liz zuchtte in mijn oor. 'Soms, wanneer mensen boos en bang zijn, halen ze uit naar wie het dichts bij ze staat.'

'Waarom?' vroeg ik, met gefronste wenkbrauwen.

'Tja, misschien komt dat omdat dat de enige is die het je zal vergeven als alles voorbij is.'

Ik bromde wat.

'Je vader en ik willen hier echt mee doorgaan, Bindy, maar dan moet het wel kunnen voor iedereen en dat vraagt tijd. Het is geen kwestie van kampen kiezen. Het gaat erom dat we een manier uitdokteren zodat iedereen erbij kan en dat betekent dat iedereen wat water bij de wijn doet.'

Terwijl ik ophing, vroeg ik me af waarom ik altijd degene was die water bij de wijn moest doen.

Pap wierp me een blik toe. 'En, hoe ging het?' vroeg hij.

Ik haalde mijn schouders op. 'Liz vindt dat ik het haar moet vergeven. Het gaat erom dat iedereen erbij kan,' snoof ik. 'Alsof het ooit zo ver zal komen.'

Pap leunde voorover om in de oven te kijken. 'Misschien moest je er toch maar eens over nadenken? Je weet dat Janey nooit vooraf weet wat ze gaat doen. Ze doet altijd het eerste wat in haar hoofd opkomt. Ze heeft geen zelfdiscipline.'

'Maar ze haalt wel smerige streken uit!' klaagde ik.

Hij draaide de aardappels om met de tang. 'Jij hebt Janey's arm een keer gebroken. Dat was vast erg pijnlijk. Dat heeft ze je vergeven.'

Ik legde mijn handen met een klap op het tafelblad. 'Het was ook niet mijn bedoeling om haar arm te breken. Het was een ongeluk!'

Pap haalde zijn schouders op. 'Je trok het opstapje onder haar vandaan. Janey's gebroken arm was een gevolg dat je had kunnen voorzien als je er eerst over had nagedacht.'

'Ik was acht!' schreeuwde ik.

Hij legde de aardappel op een schotel, liep ermee naar de tafel en zette hem voor mijn neus. Daarna liep hij weer naar de keuken en pakte zijn sleutels.

'Nu moet ik even weg, liefje.'

'Waar ga je naartoe?'

'Janey ophalen. Ze is van school gestuurd. Liz kan geen vrij krijgen op haar werk om haar af te halen. Ik zal haar maar beter naar huis brengen… bij haar thuis, bedoel ik.'

Ik kon mijn oren niet geloven. 'Ik ben wel het slachtoffer, weet je nog? Hoe kan ze je zoiets vragen? Jij hoort hier te blijven om voor me te zorgen. Je kunt haar niet gaan afhalen, dat kan gewoon niet!' zei ik.

'Tja,' zei hij. 'Er is niemand anders die het kan doen.'

We stonden elkaar een poosje aan te staren terwijl ik probeerde te bedenken wat ik kon zeggen om hem tegen te houden.

'Stel dat ik een soort angstaanval krijg terwijl je weg bent? Stel dat ik in paniek raak en dat ik met mijn hoofd ergens tegenaan begin te bonken? Zie je niet hoezeer ik getraumatiseerd ben?'

'Eet je aardappel op. Aardappels zijn erg goed tegen angstaanvallen. Ik blijf niet lang weg,' zei hij. En toen liep hij naar buiten.

Dat is niet eerlijk! Janey krijgt een lieve, zorgzame vader die er altijd is, en wat krijg ik? Een Nazi die van netjes houdt en vindt dat ik voor iedereen een voetveeg moet zijn.

Ik pakte mijn aardappel op en vroeg me af wat er intussen op school gaande was. Moest iedereen erom lachen? En waren er nog meer 'souvenirs'? Ik liet de aardappel liggen en liep naar mijn kamer om te kijken. Ik pakte er een blocnote bij om een inventaris van al mijn spullen te maken.

Janey's spullen waren al aan een flinke opmars begonnen. Haar kleren zaten al tussen die van mij in het mandje met schoon wasgoed dat mijn vader op het voeteneind van mijn bed had gezet. Een aantal van haar schoolboeken lagen over mijn bureau gespreid, samen met een tijdschrift, een mascaraborsteltje, een haarborstel en een aangebroken pakje kauwgom. Een stapel van mijn eigen boeken was van mijn bureau afgeveegd en lag nu in een slordig hoopje op de vloer naast het papiermandje.

Ik hurkte neer en drukte de kaften plat met de muis van mijn hand, terwijl ik de woede in mijn borst voelde opwellen.

Hoe konden ze nu denken dat er een hele persoon bij kon in mijn kamer? Daar was gewoon geen plaats voor. Ook al kregen we bedden boven elkaar, dan nog was er geen plek voor Janey's spullen.

En het ergste was nog dat Janey nergens naartoe hoefde. Zij zou er de hele tijd zijn en ik zou het logeetje zijn. In het begin zouden ze het 'de meisjeskamer' noemen, maar hoe lang zou het duren voor ze het over 'Janey's kamer' zouden hebben? En hoe zou het daarna verder lopen? Ik zag het al voor me hoe ze al mijn spullen naar de vuilnisbelt brachten als ik er een keer niet was. Op een zondagavond zou ik thuiskomen om te ontdekken dat ik hier alleen nog een hangmat had die in de veranda was opgehangen. Ik zag het al voor me hoe Liz in de voordeur stond en me de doorgang versperde. *We moeten allemaal water bij de wijn doen, Bindy.*

Ik had het gevoel of er een gewicht op mijn borst lag. Janey duwde me weg uit mijn eigen leven en pap en Liz stonden aan hàar kant. Dat was niet eerlijk. Ik pakte Janey's spullen bij elkaar en kieperde ze in de gang. 'Dit is mijn kamer!' schreeuwde ik.

Ik had er nooit eerder aan gedacht om van huis weg te lopen, maar op dat moment had ik zin om de gang door te rennen, de voordeur open te trekken en maar te blijven rennen, weg van hier. Maar waar moest ik heen?

De telefoon ging. Ik banjerde de gang door en nam de hoorn op. 'Wat?' blafte ik.

'Bel ik op een verkeerd moment?' vroeg Cara.

'O, jij bent het. Het spijt me.'

'Het is me wel een zware dag geweest, hè?' zei Cara.

'Zeg dat wel.'

'Het is me wel een zware dag geweest, hè?' zei ze, en toen moesten we allebei lachen. Het was een bevrijding om met Cara te praten. Ze leek de enige te zijn die nog aan mijn kant stond.

'En, wat is er verder gebeurd? Is het heel erg?' vroeg ik.

'Nou,' zei ze, terwijl ze adem schepte voor een lang verhaal, 'toen ik terug naar de klas was gegaan, werden Mitchell, Hannah en Lucas naar het kantoor van meneer Clemens geroepen, en de rest van de dag heb ik ze niet meer gezien. Ik weet niet wat er gebeurd is, maar

iedereen zegt dat ze geschorst zijn. De helft van de meisjes uit het vijfde jaar kwamen in de lunchpauze naar het
plein. Ze zochten Janey en Hannah en ze zeiden tegen
iedereen dat ze ze een pak rammel wilden geven. De
meeste mensen vinden dat Kyle dat beter niet kan doen
omdat hij een jongen is. Maar uiteindelijk hebben de
meisjes van de vijfde ze toch niet onder handen kunnen
nemen want tegen die tijd waren Hannah en Janey naar
huis gestuurd. De hele school weet dat de meiden van
de vijfde ze op hun gezicht willen timmeren. Ik zou niet
graag weer naar school komen als ik in die twee hun
schoenen stond.'

Ze zweeg even om op adem te komen. 'Alle mensen
waar ik mee gepraat heb, zeiden dat ze het werkelijk
smerig vonden. De meeste meisjes vinden Janey en
Hannah echte krengen en niemand wil meer met ze gezien worden. Ik weet niet hoeveel jongens naar me toe
zijn gekomen om te vragen of alles wel goed met je was.
Zelfs meneer Gabler hield me in de gang tegen om te
vragen hoe het met je ging.'

'Dat is lief,' murmelde ik.

'En James zat zo over je in. Er werd gezegd dat hij het
met Mitchell wou uitvechten, maar de meeste mensen
zeggen dat Mitchell er niet aan wou omdat al die lui van
het vijfde jaar aan James' kant staan. James zei dat hij je
nog wel zou bellen.'

Ik voelde een rillinkje over mijn ruggengraat lopen
bij de gedachte.

'Gaan jullie soms met elkaar Uit of zo?' vroeg ze.

'Waarom?' vroeg ik.

'Nu ja, het is echt wel een schatje, en ik dacht, als jij niet met hem Uitgaat, dat ik dan…' Ze liet de rest in de lucht hangen. 'Ik ga natuurlijk niks met hem beginnen als jij hem wel ziet zitten.'

Heel even wist ik niet wat ik moest zeggen. 'Vindt hij je aardig?' vroeg ik.

Ze zweeg even. 'Hij doet flirterig, weet je. Hij zei dat hij over me gedroomd had en dat hij me over de knie had gelegd, maar dat hij daar niks aan kon doen omdat hij geen controle heeft over wat hij droomt. Snap je wat ik bedoel? Andere jongens zeggen van die voor de hand liggende dingen, maar wat James zegt is zo grof dat het weer grappig wordt. En hij is niet gevaarlijk. Bij sommige jongens hoef je maar in hun ogen te kijken en dan weet je gewoon dat ze wel eens zouden kunnen doorgaan als je wil dat ze ophouden, maar James is zo'n stumper.'

Ik voelde een steek van verontwaardiging door me heen gaan en nog iets anders ook – teleurstelling. James was een vriend voor me geweest op een moment dat niemand anders met me bevriend wilde zijn. Ik dacht dat hij me aardig vond. Ik wist wel zeker dat hij me meer dan aardig vond, maar nu zag het ernaar uit dat hij alle meisjes aardig vond.

Ik wilde niet dat hij met Cara was. Op dit moment waren zij mijn vrienden. En als ze samen waren, zou ik hun vriendin zijn. Dat was uitgesloten. Bevriend zijn met een koppel, dan was je pas derderangs.

ZESENTWINTIG

Later die middag ging de telefoon weer. Het was mam. 'Ik heb een bericht gekregen van je school. Zeg eens wat er gebeurd is. Ik maak me zorgen,' zei ze.

Toen ik niks terugzei, vroeg ze: 'Ben je er nog?'

'Als je je zoveel zorgen maakte, waarom ben je me dan niet komen oppikken?' vroeg ik. 'Waarom heb je dan zo lang gewacht om me te bellen?'

Ze ademde uit in de telefoon. 'Ik heb niet de luxe dat ik mijn zaak in de steek kan laten wanneer ik zin heb. Er zijn mensen die op me rekenen. En trouwens, ik wist dat je vader het wel op zou lossen. Hij is ook dichterbij.'

'Misschien moest je al het zorgen maken dan ook maar aan hem overlaten,' snauwde ik.

Ze zweeg even. 'Belinda, je bent toch thuis?' vroeg ze
'Ja.'

'En je voelt je veilig?'

'Ja.'

'Hou dan op met zeuren. Als ik naar school was gekomen, had ik je daarna mee naar mijn werk moeten zeulen. Dat zou voor geen van ons tweeën handig zijn geweest.'

Ik kreeg het op de zenuwen van haar logica. 'Het gaat niet over waar ik nu ben,' zei ik. 'Het gaat erover dat je niet de moeite neemt. Voor deze ene keer was het misschien wel leuk geweest te weten dat je je écht zorgen over me maakte.'

'Ik maakte me echt zorgen, ja,' zei ze.

'Dan had je er moeten zijn toen ik je nodig had,' ging ik door. 'Of minstens…'

'Wacht even, ik heb een andere lijn,' zei ze.

'Mam!' schreeuwde ik, maar het enige wat ik hoorde was een wachtmuziekje. Ik legde neer en plofte met mijn armen over elkaar op de sofa.

Ongeveer een minuut late belde ze terug. 'Ik dacht dat ik je in de wacht had gezet, maar ik ben je kennelijk kwijtgeraakt.'

'Nee,' zei ik. 'Ik had opgehangen.'

'O,' zei ze. 'Is Kyle thuis?'

'Het gaat nu niet over Kyle. Het gaat over mij!' schreeuwde ik.

'Ja, en ik heb gebeld om te weten of alles goed met je was en dat lijkt me dik in orde. Trouwens, je lievelingskleur is toch blauw, of niet?' vroeg ze.

'Wat heeft dat er nu mee te maken?'

'Lichtblauw?'

'Weet ik niet. Zal wel. Waarom?'

'Is Kyle er?' vroeg ze, zonder op mijn antwoord te letten. 'Ik heb goed nieuws voor hem.'

'Wat dan?' zei ik bits.

'Ik heb net duizend dollar geschonken voor zijn voetbaltruitjes. Dat moet toch genoeg zijn, niet? Die meneer

Clemens leek er wel blij mee.' Ze zweeg even. 'Belinda?'

Ik ging over mijn nek. 'Niet te geloven dat je daarvoor belt. Ik ben degene die iets akeligs heeft meegemaakt, niet Kyle. Je hebt altijd al meer om hem gegeven dan om mij. Pap heeft er wél met me over gepraat. En hij heeft het aangepakt zoals hij dat altijd doet. Jij hebt geen vinger hoeven uitsteken. Zelfs Liz…'

Ik hield abrupt op. Oeps! Dat was al de tweede keer dat de kat op de koord kwam en in de gordijnen kroop. Ik luisterde, maar het bleef stil. Toch wist ik zeker dat ze er nog was, ik kon haar horen ademen.

'Het gaat je dus niet aan,' voegde ik eraan toe.

'Het gaat me dus niet aan?' herhaalde ze.

'Precies,' zei ik.

'En of het me aangaat! Dacht jij dat je vader alles voor je deed? Werkelijk alles? Nou, dat is dan mooi niet zo, jongedame. Vraag hem maar eens wie de rekeningen betaalt. En als je het niet erg vindt, ik heb het vreselijk druk,' zei ze. 'Vraag jij dat eerst maar eens aan hem, dan praten we wel verder.' En toen was ze weg.

Ik ging op mijn bed liggen schuimbekken van woede. Ik durfde te wedden dat ze als de bliksem naar school was gekomen als Kyles ondergoed van hand tot hand was gegaan.

Na een poosje verscheen pap in de deuropening. Hij stond met zijn handen op zijn heupen te kijken naar de spullen van Janey die overal om zijn voeten heen lagen.

'Ik wil haar spullen niet in mijn kamer hebben,' zei ik met een boos gezicht.

Zijn wenkbrauwen gingen de hoogte in. 'Kan ik inkomen. Vind je dat ik het maar ineens op straat moet gooien?'

'Kan mij wat schelen,' zei ik, en toen rolde ik op mij zij zodat mijn gezicht naar de muur gekeerd was.

'Ik ga toast maken. Wil jij ook wat?' vroeg hij.

Ik ging ineens rechtop zitten. 'Wie betaalt er de rekeningen?' wilde ik weten.

'Pardon?'

'Je hebt me wel gehoord,' zei ik.

Hij fronste zijn wenkbrauwen. 'Bindy, ik snap best dat je een rotdag hebt gehad, maar dat toontje pik ik niet van je, ook niet van iemand anders trouwens.'

Ik liet me op mijn ellebogen zakken, terwijl ik probeerde te bedenken wat ik zou doen. Ik was beslist in de stemming voor een potje schelden en schreeuwen, maar pap was daar geen geschikte partij voor. Hij schreeuwde nooit terug. Gewoonlijk hield hij zijn handen op en dan zei hij: 'Ik ben geen leeuw. Met iemand die begint te brullen, ga ik gewoon niet in de clinch.' En op andere momenten haalde hij een van de stoelen in de eetkamer en hield die voor me op terwijl hij deed of hij een denkbeeldige zweep liet knallen. Hoe dan ook, ik gaf het altijd sneller op dan hij.

'Het spijt me,' zei ik bars.

Pap knikte. 'En, wil je nu toast of niet?'

Ik stond op, stampte de gang door en ging met gekruiste benen op de keukenvloer zitten.

'Blijf je daar zitten?' vroeg hij.

'Ja,' zei ik, en ik wachtte tot hij iets zou zeggen waarop ik iets terug zou kunnen schreeuwen, maar dat deed hij niet. Pap maakte toast voor me klaar en kwam toen naast me zitten. Hij strekte zijn lange benen over het zeil uit en hield zijn kop koffie met twee handen vast.

'Wie betaalt de rekeningen?' vroeg ik, tussen twee happen door.

Hij nipte van zijn koffie. 'Waarom vraag je dat?'

'Ik heb net ruzie gehad met mam en ik zei dat ze nooit iets voor ons deed, dat jij dat allemaal in je eentje deed en toen zei ze: "Vraag hem maar eens wie de rekeningen betaalt."'

Hij zette zijn kopje op de vloer en vouwde zijn handen in zijn schoot. 'Dat doet zij,' zei hij.

Ik kauwde op een mondvol toast. 'Hoezo, alles?' vroeg ik.

'Zo ongeveer.'

'Zelfs voor Kyle?'

Pap knikte.

'Maar Kyle wil haar niet eens zien,' zei ik.

'Of hij haar nu wil zien of niet, hij blijft wel haar zoon.'

'Wat bedoel je eigenlijk met àlles?'

'Nu ja, zij betaalt jullie kleren en het schoolgeld en de boeken, en de elektriciteitsrekening en de telefoon.'

Ik hield de punt van mijn toast op, keek ernaar en liet hem toen op mijn bord vallen.

'En wat betaal jij?' vroeg ik.

'Ik betaal ook een deel.'

'Een minder groot deel?'

Pap pakte mijn stuk toast en propte het in zijn mond, terwijl hij met zijn hand de kruimels wegveegde. 'Ja.'

'En het carrosseriebedrijf dan?'

'Dat bedrijf is nooit erg winstgevend geweest. Ik hou er iets aan over.'

'Maar niet erg veel?' vroeg ik.

Hij schudde zijn hoofd. 'Niet vergeleken bij wat je moeder verdient.'

Ik vouwde mijn armen over elkaar en leunde met mijn hoofd tegen de deur van de kast. 'Geeft dat niet het gevoel alsof je ontmannelijkt wordt?'

'Ontmand, bedoel je?'

'Ja.'

Pap nam op zijn gemak een slok van zijn koffie. 'Nee, helemaal niet. Als twee mensen kinderen krijgen, zijn er ook twee mensen die daar hun hele leven voor verant-woordelijk zijn – en zelfs daarna, hoewel dat een beetje uit de mode is geraakt, tegenwoordig.'

Hij keek me even aan en toen zei hij: 'Als ik degene was die was weggegaan, zou ik ook degene zijn die be-taalt, maar zoals het nu is, hebben we het allemaal vrij goed. Adele heeft er nooit krenterig of moeilijk over ge-daan.'

'Maar zou je het niet liever allemaal zelf willen beta-len? Wou je niet dat je haar niet nodig had?'

'Daar kun je twee dingen op zeggen,' zei hij. 'Om te beginnen: als je beslist om de rest van je leven met ie-mand door te brengen, doorloop je een aantal stadia. Sommige daarvan zijn formeel, zoals de trouwpartij, en een aantal andere zijn… meer privé, zal ik maar zeggen. Jou en Kyle maken, was iets wat je moeder en ik heel bewust hebben gedaan.'

Ik sloeg mijn handen voor mijn oren. 'Bah, dat wil ik niet weten.'

Hij leunde naar me over en haalde mijn handen weg. 'Nee, dit is iets wat je moet weten, Bindy.'

Ik liet mijn handen zakken en luisterde.

'We beslisten om kinderen te maken en jullie zijn in vele opzichten een bron van vreugde, maar een van die dingen is dat jullie een verzameling zijn, en dat zal altijd zo blijven, een verzameling stukjes van mij en van Adele die niemand ooit meer uit elkaar kan halen. Dus, of we nu al dan niet financieel afhankelijk van haar zijn, je moeder en ik zijn voor altijd verbonden door jullie, en door de kinderen die jullie ergens in de toekomst zullen hebben en die op hun beurt weer stukjes van mij en van haar in zich zullen meedragen. Snap je het nu?'

Ik knikte.

Pap stond op en zette zijn kopje en mijn bord in de gootsteen.

'Je kon twee dingen zeggen, zei je.'

Pap spoelde de vaat zorgvuldig onder de kraan en zette hem toen in de vaatwasmachine. Daarna hurkte hij voor me neer.

'Het tweede was: je zult een aantal belangrijke keuzes moeten maken in je leven. Eén daarvan is dat je moet kiezen tussen iets doen wat je dolgraag doet of iets anders waar je rijk van wordt. Sommige mensen hebben een baan waarin dat allebei kan, maar die zijn zeldzaam.'

'En jij bent dol op plaatwerken?'

Pap knikte.

'Waarom?' vroeg ik, terwijl ik mijn neus optrok.

Hij sloeg zijn armen kruiselings over zijn knieën en liet zijn kin op zijn pols rusten. 'De auto's die bij mij in de werkplaats binnen komen zijn gedeukt en beschadigd en ze zitten onder de schrammen, en heel vaak – niet altijd, maar toch vaak genoeg – was er heel wat pijn en trauma mee gemoeid voor ze er zo uitzagen. En dan halen ik en mijn makkers onze karren van stal en dan beginnen we zachtjes te tikken en te modelleren en dicht te stoppen. En daarna gaan we schuren en spuiten en tegen de tijd dat zo'n auto de deur uitgaat is hij weer helemaal glimmend en nieuw – zo glimmend en nieuw dat je niet meer kunt zien dat er ooit iets mis mee was.' Hij grijnsde. 'Wij zijn de plastische chirurgen van de auto-industrie.'

'Vind je het echt zo leuk?' vroeg ik.

'Ja, ik vind het geweldig.'

'Je vindt dus dat het beter is om iets te doen waar je dol op bent?' vroeg ik.

Pap kwam overeind en rekte zich in de breedte uit. 'Nee, ik zei alleen dat je daartussen zou moeten kiezen. Als het zover is, zul je die beslissing zelf moeten nemen.'

Daarna leunde hij weer naar voren, waarbij hij zijn handen op zijn knieën liet rusten. 'Ik bedoel maar dat het feit dat je moeder bereid is om voor jullie te betalen – en in zekere zin ook voor mij – betekent dat de keuze voor mij gemakkelijk was.'

Toen hij voor het eerst had gezegd dat hij iets deed waar hij dol op was, vond ik dat erg nobel klinken – alsof hij zijn grote droom niet had willen opgeven voor hebzucht. Maar nu hij het op die manier voorstelde, klonk het bijna egoïstisch van hem.

ZEVENENTWINTIG

Kyle kwam thuis van school, liep meteen naar zijn kamer en deed de deur dicht. Ik maakte een kop chocolademelk warm voor ons allebei en toen probeerde ik naar binnen te gaan bij Kyle, maar zijn deur zat op slot.

'Wacht even,' zei hij. Na een poosje deed hij de deur op een kier open. 'Wat?' vroeg hij. Ik probeerde langs hem heen de kamer in te kijken, maar hij deed de deur nog wat verder dicht zodat alleen zijn neus zichtbaar was.

'Wat doe je?' vroeg ik.

'Niks. Is alles goed met je? Wat wil je?'

'Is er soms een meisje bij jou?'

'Nee.'

'Laat kijken, dan,' zei ik, terwijl ik tegen de deur duwde. Kyle hield hem stevig op zijn plek.

'Ik heb nieuws in verband met de voetbaltruitjes,' begon ik.

'O ja?' vroeg hij.

'Ik zeg niks tot je me erin laat.'

'Al goed, al goed,' zei hij, terwijl hij de deur openzwaaide. Verspreid over de vloer zag ik tientallen Match Box-autootjes en Kyles Furby en nog een verzameling Beast Wars-soldaatjes.

'Zo, daar was je dus mee bezig? Druk aan het spelen?'

'Ik maakte ze schoon. Je hebt er geen idee van wat zo'n verzameling waard is als je je spullen een beetje verzorgt.'

'Je zegt het maar, Kyle.' Ik liet even een pauze vallen. 'Cara vertelde me dat de helft van je jaargenoten naar het plein gekomen is. En dat iedereen met iedereen op de vuist wilde.' Ik haalde diep adem. 'Bedankt dat je dat voor me gedaan hebt.'

Kyle schudde zijn hoofd. 'Daar had ik zelf niet zo veel mee te maken. Een aantal van de meisjes in mijn jaar reageren nogal heftig als er iets niet eerlijk is. Ze stonden te praten in het leerlingenlokaal over hoe vreselijk het was en ze raakten zo opgefokt dat ze er een leger op uit hebben gestuurd.'

'Toch bedankt,' zei ik.

Hij bukte zich en raapte een van de autootjes op. 'En hoe ging het hier? Heeft pap een dikke aardappel voor je klaargemaakt om je te troosten?'

Ik knikte. 'Liz belde. Ze zei dat ik Janey moest vergeven, niet omdat het niet zo erg was wat ze gedaan had, maar omdat het makkelijker zou zijn voor iedereen als ik het er verder maar bij laat.'

Kyle fronste zijn wenkbrauwen. 'Dat is stom.'

'Ja.'

'Liz is al een paar keer "openhartig" met me komen praten, de afgelopen weken. Dan komt ze mijn kamer binnen en dan begint ze me van alles te vragen. Over school en over mijn hobby's.'

'Heb je haar ook verteld over je Furby en over je andere speelgoed?' vroeg ik.

'Het zijn miniatuurtjes, geen speelgoedpoppetjes. En het is een investering,' ging Kyle door. 'Het lijkt allemaal een beetje geforceerd, alsof ze me per se moet leren kennen, alsof ze de banden met me wil aanhalen.' Hij sloeg zijn armen over elkaar. 'En, wat was dat grote nieuws?'

'Er is al wat geld voor je voetbaltruitjes.'

Kyle schoof een paar speeltjes opzij met zijn voet. 'Hoeveel?'

'Duizend dollar,' antwoordde ik.

Kyles ogen begonnen te schitteren. 'Je houdt me voor de gek. Waar komt dat zo ineens vandaan?'

'Wil je het echt weten?'

Hij haalde zijn schouders op. 'Tuurlijk.'

'Mam.'

Kyle bleef roerloos staan. Zijn gezicht stond gespannen en boos. 'Wie heeft er haar trouwens over verteld? Jij, zeker, hè?'

'Ja.'

Hij vloekte.

'Je weet niet hoe ze is,' ging ik tegen hem in. 'Iedere keer wanneer ik haar zie is het van Kyle hier en Kyle daar. Wat had ik dan moeten zeggen?'

'Jij hoeft helemaal niks te zeggen. Heel erg bedankt, hoor, Bindy.' Hij duwde me opzij. 'Ik ga het haar zeggen. Ik ga het haar zelf zeggen.'

ACHTENTWINTIG

Pap was in de werkplaats. De jongens waren al naar huis en hij zat in zijn benauwde, rommelige kantoor achterin te telefoneren. Ik leunde tegen de deurlijst, wachtend tot hij klaar was.

'Hoe gaat het met je?' vroeg hij, toen hij de telefoon had neergelegd.

'Prima,' mompelde ik.

Hij keek naar de notities die hij had neergeschreven en toen pakte hij weer de hoorn vast. 'Wil je iets? Ik kom zo naar binnen om met je te praten als je wilt, maar ik moet nog een paar telefoontjes afwerken voor het vijf uur is.'

Ik schuifelde met mijn voet over de drempel. Er zaten een massa vette voetafdrukken op.

'Ik heb Kyle van streek gemaakt.'

'O ja? En dat kom je bij mij opbiechten. Wat heb je dan gedaan? Heb je hem de afstandsbediening naar zijn hoofd gegooid? Heb je zijn arm gebroken?'

Ik keek niet op.

'Wat is er dan?'

'Kyle coacht de junioren van het voetbalteam. Dat heeft hij je niet verteld omdat het iets is wat hij in zijn eentje wil doen.' En toen legde ik hem de hele toestand uit met de truitjes en de wedstrijd om geld in te zamelen en dat meneer Clemens gezegd had dat dat getuigde van zin voor initiatief. 'En ik heb het tegen mam gezegd.'

Pap knikte. 'Laat me even raden. Zij heeft voorgesteld om die truitjes te betalen, niet?'

'Erger, ze heeft het geld al aan de school gegeven. Kyle krijgt niet eens de kans om het te weigeren.'

'Zo achterbaks.' Pap kneep zijn ogen tot spleetjes. 'Hoor je dat?'

'Wat?' Ik hoorde helemaal niets.

Hij schudde haast onmerkbaar zijn hoofd. 'Misschien is het niets. Ik weet wel zeker dat Kyle zich eroverheen zal zetten.' Hij bladerde door zijn papieren.

Kyle leek het me wel erg kwalijk te nemen en vergeven lag al niet in zijn aard.

Pap legde zijn papieren neer. 'Weet je zeker dat je niks hoort? Ik geloof dat Kyle het zwaar te verduren heeft.'

'Speel je ineens voor Lassie?'

Pap glimlachte vluchtig. 'Nee, nee, dat is mijn intuïtie.' Hij kwam meteen overeind en beende naar het huis.

Toen we door de achterdeur naar binnen liepen, kon ik Kyle horen schreeuwen.

'Nee, daar ben ik je níét dankbaar voor. Je hebt dit van me afgepakt!'

Pap duwde de deur open en stormde naar binnen. Kyle stond in de keuken in de hoorn van de telefoon te brullen.

'Ik maak er geen drama van. Jij hebt mijn idee gejat. Kan me geen barst schelen!'

En toen zweeg hij.

'Ik hoef jou niet. Je kunt niet alles kopen. Ik ben niet te koop!'

Kyles gezicht zag helemaal rood en ik zag de aders in zijn nek opzwellen. Zijn ogen stonden glazig en hij knipperde voortdurend, omdat hij zijn best deed om niet te huilen. Hij haalde diep adem met felle uithalen en zijn borst zwoegde op en neer.

'Ik haat je!'

Hij gooide de telefoon op de wasbak. Hij kletterde over de afdruipplaat en er klonk een hol gekraak toen een bord aan diggelen ging.

Pap liep snel de kamer door en gooide zijn armen om Kyle heen. 'Nee!' Kyle worstelde om vrij te komen.

Maar pap liet niet los en omklemde Kyle in een stevige omhelzing. 'Laat me met rust,' schreeuwde Kyle.

Hij zwaaide met zijn armen in het rond en met een van zijn handen gaf hij pap een klap in zijn gezicht. Paps hoofd zwiepte even naar achteren, maar toen trok hij zijn kin in en trok Kyle nog dichter tegen zich aan.

'Ik haat haar!' zei Kyle, terwijl hij naar adem snakte. 'Ze maakt àlles kapot!'

Ik stond in de deuropening met open mond toe te kijken. Pap keek me over Kyles schouder aan. Hij zwaaide met zijn hand wat betekende dat ik maar beter kon verdwijnen. Ik kroop weg achter de deurstijl en gluurde eromheen.

Kyles gezicht was zo rood dat ik dacht dat hij zou

ontploffen. Hij slaakte een zucht en zijn stem maakte daarbij een piepgeluid.

Pap legde zijn hand op Kyles achterhoofd. 'Laat het los,' zei hij rustig.

Kyle stortte in elkaar tegen paps borst en hij begon schokkend te snikken. Hij was langer dan pap en hij leunde tegen hem aan en klemde zich met beide handen vast aan paps hemd. Pap bezweek bijna onder zijn gewicht en schoof zijn voet naar achteren om steviger te staan.

Kyle huilde alsof hij tranen van jaren en jaren kwijt moest, alsof er een dam doorgebroken was. Ik had hem niet meer zien huilen sinds hij twaalf was of zo. En het was mijn schuld. Ik had mam over de truitjes verteld en op dat moment had ik helemaal niet aan Kyle gedacht. Ik was het Melkvarken.

Boven Kyles verstikte stem hoorde ik nog een andere stem uit de woonkamer komen. Een paar tellen later stak Liz haar hoofd om de deur. Ze hield een doos met zelfgemaakte lekkernijen in haar handen.

'De deur stond open,' zei ze verontschuldigend.

Kyle maakte zich vliegensvlug van pap los, wankelde een paar passen achteruit en liet zich toen op een van de stoelen om de eettafel neerploffen.

Liz nam alles in zich op. 'Kyle, is alles goed met je?'

'Hij is van streek,' antwoordde pap.

'Hier,' zei ze, terwijl ze de doos openmaakte en hem het lekkers toestak. Kyle draaide zijn gezicht van haar weg en toen stond hij op en liep naar zijn kamer terwijl hij zijn gezicht met zijn arm bedekte.

We keken elkaar een voor een aan. Ik vond het een behoorlijk pijnlijke situatie. Liz hoorde ons niet zo te zien – zo rauw.

'Het spijt me, John,' zei ze. 'Ik had eerst moeten bellen.'

Pap zwaaide met zijn arm in haar richting. 'Jij kunt er niks aan doen.' Hij zweeg even. 'Kom, geef me een zoen.'

Ze liep naar hem toe en ze zoenden. Ik keek weg.

'Wat is er met je gezicht?' vroeg ze.

Hij legde zijn hand tegen zijn wang waar een rode plek was verschenen. 'Kyle heeft me geslagen,' antwoordde hij. 'Dat was niet zijn bedoeling,' voegde hij er snel aan toe. 'Hij maaide wat in het rond, zoals jongens dat doen wanneer ze van streek zijn.'

'Janey maait ook flink in het rond, maar ik neem aan dat je dat al wist.' Ze keek naar me en schonk me een vreugdeloos lachje.

'Zet jij water op? Dan ga ik even kijken of alles goed met hem is.' Pap gaf een klapje op haar onderarm en toen verdween hij in de gang.

'Waar is Janey?' vroeg ik.

Liz zette de waterketel op het fornuis en begon stukken porselein uit de wasbak te vissen. 'Ze is bij Hannah. Ik had gezegd dat ze het huis niet meer uit mocht, maar dat leek me, alles in acht genomen, niet helemaal correct.'

'Hoezo, alles in acht genomen?' vroeg ik.

Liz zuchtte. 'Hannah gaat met haar familie naar het buitenland verhuizen. Ze weet het pas zeker sinds gisteren. Janey ziet haar misschien nooit meer terug, in ieder geval voor lange tijd niet, en dus heb ik gezegd dat dat huisarrest pas vanaf morgen ingaat.' Ze leunde tegen de wasbak. 'Janey is van school af gestuurd.'

Kon me niks schelen. Eigenlijk was ik er blij om.

'Ik vind het niet erg dat Hannah gaat verhuizen,' zei Liz stilletjes. Ze hield de vaatdoek in haar handen en vouwde hem op tot een keurig vierkantje.

'Ik ook niet,' antwoordde ik.

Toen ik in haar ogen keek, herinnerde ik me dat Janey en haar moeder, voor Hannah kwam, goede vriendinnen waren geweest. Liz was Janey ook kwijtgeraakt aan Hannah. Dat vond ik erg voor Liz, maar daarom was ik niet minder boos op Janey.

'Nu ja, Janey heeft niet veel aanmoediging nodig om de verkeerde dingen te doen,' zei ik, terwijl ik mijn armen over elkaar vouwde.

'Misschien. Maar ze heeft ook niet zoveel aanmoediging nodig om te doen wat goed is,' kaatste Liz terug.

Ze kwam bij de tafel staan en duwde me de doos met koekjes toe. 'Die had ik eigenlijk voor jou meegebracht. Ik moet er wel bij zeggen dat ik ze ben gaan kopen. Ik had geen tijd om zelf iets te bakken. Soms, als ik een hele zware dag heb gehad, vind ik het fijn om van een grote doos koekjes te gaan zitten smikkelen.'

'Bedankt,' bromde ik, terwijl ik mijn hand naar de doos uitstak.

'De laatste tijd heb ik nogal wat koekjes opgesmikkeld,' zei ze met een glimlach, en toen pakte ze er ook een.

Kyle en pap kwamen terug uit zijn kamer en gingen aan de tafel in de eetkamer zitten. Liz was klaar met de koffie en zette de kan op tafel naast de open doos met lekkernijen. Kyles ogen waren rood en hij moest af en toe snuiven, maar voor de rest leek hij weer de oude.

'En, waar ging het over?' vroeg Liz.

'Adele schonk geld aan de school voor Kyles voetbalteam,' legde pap uit.

Kyle wreef de rug van zijn hand onder zijn neus. 'Ze had het me niet eens gevraagd. Ze hoorde niet eens te weten dat Bindy en ik geld zouden inzamelen. Ik wou er de kinderen bij betrekken. Ik had alles al uitgekiend. Ze zouden… Ik wil niet dat ze denken dat geld altijd…' Hij liet de rest van de zin in de lucht hangen. De hele tijd dat hij aan het woord was, bleef hij naar de tafel staren.

Liz gaf een klapje op zijn hand. 'Ik weet zeker dat het niet zo erg is als het lijkt.'

Kyle wierp haar een nijdige blik toe. Zijn mondhoeken krulden naar beneden alsof hij weer zou gaan huilen. En toen schoof hij zijn stoel bij de tafel vandaan.

'Hier heb jij niks mee te maken. Jij denkt, omdat je met pap bent, dat je het recht hebt om alles over me te weten, maar dat is niet zo. Schei toch uit, zeg!' En toen liep hij de kamer uit.

Liz keek hem na. Haar hand plukte nerveus aan het tafelkleed.

'Hij is van streek, hij meent het niet zo,' zei pap, terwijl hij zijn arm naar haar uitstrekte.

Het was één grote puinhoop. Niemand was meer gelukkig. Het was net of iemand het kleed onder ons gezin vandaan had getrokken zodat we allemaal rond strompelden en liepen te hoesten en te niezen tot het stof weer was gaan liggen.

Ik stond op en liep naar Kyles kamer. Hij zat voor zijn computer. Ik leunde tegen zijn bureau, zonder iets te zeggen.

'Ze waren trots geweest op die truitjes als ze ervoor hadden moeten werken. Daardoor zouden ze een beter team geworden zijn. Mam denkt dat ze haar chequeboekje maar hoeft te trekken om alles op te lossen, maar het ging niet om het geld – voor mij in ieder geval niet.'

Hij noemde haar mam. Ik vroeg me af of hij het zelf gemerkt had.

Hij praatte verder. 'Liz zal nooit onze moeder zijn. Ze denkt dat ze hier naar binnen kan komen en even onze problemen oplossen, maar we zijn al opgevoed. We hebben het prima gered zonder haar. Trouwens met Janey heeft ze het er ook niet zo schitterend afgebracht.'

'Ze probeert alleen maar te helpen.'

'Ik heb haar hulp niet nodig, ik heb er niet om gevraagd. Ik heb niemand om hulp gevraagd. Jou ook niet. Kun je dan nu ophoepelen?' Hij zakte in elkaar boven zijn bureau, met zijn gezicht in de holte van zijn elleboog.

Ik wreef over mijn voorhoofd. Het zou heerlijk zijn om weg te lopen, om de deur uit te gaan en die hele zooi achter me te laten, maar waar moest ik naartoe?

'Liz is misschien net zo hopeloos als die andere twee, maar ik denk niet dat ze vals is,' zei ik.

Kyle verborg zijn gezicht in zijn handen. 'Ik wou dat jullie me allemaal met rust lieten.'

Pap en Liz staken hun hoofd om de deur alsof ze geroepen waren.

'Jongen?' zei pap zachtjes, haast fluisterend alsof hij een slapende draak naderde. 'We hebben iets bedacht.'

'We zullen een taartenkraampje organiseren,' zei Liz.

'Liz kan een van haar lekkere biscuittaarten bakken,' zei pap.

'En alle voetbaljochies mogen helpen met het deeg, zo zijn ze er allemaal bij betrokken, precies zoals je zei,' voegde Liz eraan toe.

Kyle kreunde. Hij leunde voorover en sloeg met zijn hoofd tegen de rand van zijn bureau.

NEGENENTWINTIG

Toen ik de volgende morgen wakker werd, vond ik een briefje op het aanrecht in de keuken.

Ben bij Liz. Als je geen zin hebt om naar school te gaan, blijf dan thuis. Anders ga je maar op de fiets. Pap.

Toen ik het notitieboekje dichtklapte, zag ik nog een boodschap op de vorige bladzij.

Ben even naar Liz. Misschien kom ik nog terug. Anders moet je me daar maar bellen als er iets is. Pap.

En de bladzij daarvoor.

Ben naar Liz toe. Ben waarschijnlijk terug voor jullie op zijn. Als er wat is, je kent het nummer. Pap.

Hij was aldoor bij Liz gaan slapen en ik had het niet eens gemerkt. Janey had gelijk

Hij wàs de hele tijd bij Liz. Stel dat er iets gebeurd was terwijl hij er niet was? Stel dat er dieven waren gekomen, of dolle schutters? Hoe zou hij zich voelen als hij thuiskwam en ons vermoord aantrof in bed?

Wat zou Janey al niet uithalen als pap en Liz er niet waren om haar in te tomen? Het Incident met het Ondergoed zou nog maar het begin zijn.

Ik plofte op de bank en zette de televisie aan. En ik bleef de hele dag zitten en zapte van de ene zender naar de andere. Ik at alle koekjes van Liz op en ik deed zelfs een tukje.

Rond vijf uur werd er op de deur geklopt en ik ging opendoen.

'Mam!'

Ze stond op de stoep met haar armen over elkaar geslagen naar de straat te kijken. Ze draaide zich om om me aan te kijken.

'Kyle is nog niet thuis,' zei ik.

'Ik kom niet voor Kyle. Hij doet een beetje kribbig tegen mij, de laatste tijd.'

Een béétje kribbig? Kun je wel zeggen, net zoals koningin Elizabeth een béétje een Brits accent heeft.

'Ik wil je iets laten zien. Is het goed als je vanavond bij me komt? Dan breng ik je morgen wel naar school.'

'Dat zal wel. Ik vraag even of pap het goed vindt.'

Pap vond het prima, maar ik geloof dat hij al net zo verbaasd was als ik. Ze had me nooit eerder opgehaald op een doordeweekse avond. Er was vast iets op til.

Toen mam op de parkeerplek van haar flat ging staan, zag ik dat er nog een auto voor geparkeerd stond – een bmw met vierwielaandrijving, goudkleur nog wel. Er zat een gestroomlijnde spoiler achterop, maar gelukkig geen snorkel.

'Van wie is die?' vroeg ik.

'Van Phillip,' zei ze.

Ik snoof. 'Ik had het kunnen weten.' Ik had niet verwacht dat Phillip het me zo makkelijk zou maken om hem te bekritiseren.

Mam gaf geen commentaar.

Boven ging de deur open en daar was hij dan. Phillip droeg een linnen hemd met de een of andere merknaam erop, een beige linnen broek en met kwastjes versierde mocassins. Hij zag er nogal oenig uit. En toen zei hij: 'Buenos dias, muchacha,' ook al was hij helemaal niet van Spaanse afkomst. Het was dus wel degelijk een oen, een grote, logo-gekke, Spaans brabbelende oen met een blitse auto.

'Hallo,' zei ik.

'Dit is Phillip,' zei mijn moeder met een glimlach.

'Tja, dat had ik ook al bedacht,' zei ik.

Mam haalde even diep adem. 'Phillip heeft een lekker dineetje voor ons klaargemaakt.'

'Coq au vin. Mijn specialiteit,' zei hij.

Schitterend. Het zou helemaal een Europees avondje worden, dat zag ik zo.

'Maar eerst wil ik je iets laten zien,' zei ze, terwijl ze mijn hand pakte en me door de gang loodste. Met een zwierig gebaar drukte ze de deurkruk van de studeerkamer naar beneden en de deur zwaaide open. 'Tadàà!' En daar stond ze met een uitgestrekte arm te stralen als een lieftallige assistente in een spelletjesshow.

Ik liet mijn tas op de vloer vallen.

De hele kamer, van het tapijt tot het plafond was maagdenpalmblauw. Er stond een enorm bed met een blauwe donsdeken bezaaid met kleine, witte sterretjes. In de hoek bij het raam stond een bureau met een computer erop.

Op het nachtkastje stond een lamp met een fotolijst

ernaast. De foto die Barney Rubble van mam en mij in Wonderland had genomen.

'Wauw, mam, dat ziet er geweldig uit,' zei ik.

'Vind je 't mooi?' vroeg ze. 'Toen je klein was, had ik je kamer in het groen laten schilderen. Ik weet nog hoe teleurgesteld je was toen je het voor het eerst zag. Je zei dat je eigenlijk blauw had gewild.'

'Dat weet ik niet meer.'

'Je huilde, en ik… ik hoopte dat ik het deze keer goed zou hebben.'

Ik voelde een paar tranen prikken in mijn ogen. Mam zag het ook. Ze keek van me weg en wees op een poster aan de muur die ik nog niet had opgemerkt. 'Ik heb een poster van Britney gekocht, maar ik was er niet zeker van of je haar wel leuk vond,' zei ze. 'We kunnen er ook iets anders hangen.'

'Eigenlijk is het Jessica Simpson,' zei ik.

'O,' antwoordde ze. 'En vind je die leuk?'

'Mmm,' zei ik. 'De gordijnen zijn gewoon fantastisch!'

Ze waren donkerblauw met sterretjes erop, net als het dekbedovertrek.

'Dus het is goed?' vroeg ze.

'Het is prachtig, mam. Heel erg bedankt, maar je had niet zoveel moeite hoeven doen. Ik bedoel, we komen hier haast nooit. Toch?'

Mam ging op de rand van het bed zitten. 'Het zit zo, pluimpje…' begon ze.

O nee, ik zag het ineens aankomen. Ik zag haar hele uitgekiende plannetje voor me.

'Phillip en ik hebben erover gepraat en we dachten

dat wij eigenlijk beter in staat zijn om je te geven wat je nodig hebt. Vooral nu hij een nieuwe relatie begint.'

Ik keek snel weg.

'En we wonen in ieder geval centraal,' ging ze verder. 'We kunnen je zelfs van die school afhalen als je dat wilt. Er is een meisjesschool in de buurt. Je zou ernaartoe kunnen lopen. Ze hebben een uitstekende reputatie, en een uniform dat je beeldig zal staan. Ik heb informatie mee naar huis genomen.'

Een andere school. Op een nieuwe school zou niemand weten dat ik dat meisje was dat Fluitende Winden liet. En ze zouden mijn slipjes ook niet hebben gezien.

'Dit overvalt je natuurlijk een beetje, dat snap ik wel, en er komt heel wat bij kijken. Waarom blijf je hier niet een poosje zitten om de sfeer op te snuiven terwijl ik ga kijken hoe het met het eten staat?' Ze gaf me een klapje op mijn knie en toen ging ze de kamer uit terwijl ze de deur achter zich dichtdeed.

Op een nieuwe school zou ik met een schone lei beginnen. Geen Janey en geen verleden dat ik met me meesleepte. Ik zou al dat akelige gedoe achter me kunnen laten en een heel ander iemand worden die nog nooit bestaan had.

Ik kwam overeind en liep de kamer door – de nieuwe, ruime kamer die ik nooit met iemand zou hoeven delen – en ik deed de schuifdeuren open die uitkwamen op het terras. Terwijl ik mijn handen op de balustrade legde, keek ik uit over de sprookjesachtige lichtjes van de huizen in de vallei.

DERTIG

Het hele plan had natuurlijk wel één groot, vet minpunt.

'En hier is ie dan, *mon chérie*,' zei Phillip, toen hij de schotel voor me neerzette. Het rook vast lekker voor iemand die houdt van grote brokken groente met gevogelte waar al het leven uit weg is gegaard. 'En, heeft je moeder je verteld wat *la idea* is?'

'Jep.'

'En wat vind je ervan?' vroeg hij, terwijl hij een servet over zijn schoot uitspreidde.

Bij pap gebruikten we nooit servetten. Hij zei alleen dat we onze handen moesten wassen, en als we dat niet hadden gedaan, wreef hij ons gezicht schoon met een theedoek.

'Wat vind je van *das schlafzimmer?*' vroeg hij.

'Pardon?'

'De slaapkamer,' zei mam. 'Phillip is een polyglot.' Ze reikte met haar arm over de tafel heen en gaf hem een kneepje in zijn hand.

'Dat meen je niet,' zei ik.

Phillip brak een stuk brood af en keek toe hoe ik begon te eten. 'Zo, Bindy, Adele zegt dat je een kei bent in wetenschappen.'

Mam dacht dat ik heel knap was omdat ze me dat zo vaak had gezegd dat ze het inmiddels zelf was gaan geloven. Ik was helemaal geen kei, nergens in. Ik deed het niet zo slecht op school, maar dat kon zij niet echt weten.

'Heb je al kans gezien om eens aan de computer te gaan zitten? Ben je sowieso geïnteresseerd in computers? Dit is een goede, hoor. Ik heb hem zelf een paar maanden geleden geassembleerd, maar ik merk dat ik toch vooral op mijn laptop werk. Gebruiken jullie computers op school? Die meisjesschool een beetje verderop, hoe heet die ook weer, schat?' Hij draaide zich naar mam toe en ging toen verder. 'Daar hebben ze computers in alle klassen. Heel indrukwekkend, hoor. We zijn deze week al een keer wezen kijken. Wat dacht je ervan om daar naartoe te gaan?'

'Ik...'

Hij sneed een stuk van zijn kip. 'We dachten dat het je daar wel zou bevallen.'

'Mag ik wat water, alstublieft?' vroeg ik.

'Pak het zelf maar,' zei mam.

Ik ging van tafel. Vanuit de keuken kon ik ze tegen elkaar horen fluisteren.

'Ik denk dat je een beetje hard van stapel loopt,' zei mam.

'Echt?'

'Laten we het nu maar rustig aan doen.'

Ik stond bij de gootsteen en ik dronk een groot glas water in één lange teug leeg. Ik had me voorgenomen om een hekel te krijgen aan Phillip, en hij maakte het me echt niet moeilijk, maar tegelijk voelde ik me daar ook schuldig over. Ik kon er niks aan doen. Op de een of andere manier was het veel makkelijker om iemand te verfoeien als je er niet oog in oog mee kwam te staan.

Toen ik weer ging zitten, keken ze me allebei stralend aan.

'Wist je dat je vanaf hier naar het strand kunt lopen?' begon Phillip. 'Ieder jaar houden ze een wedstrijd voor het goede doel, van klif naar klif. De afgelopen jaren heb ik er telkens aan meegedaan. Doodvermoeiend is het. Ik heb nooit enig record gebroken, maar daar gaat het ook niet om, hè? Hoe zeggen ze dat ook alweer? "Het moedigste wat er bestaat is je verlies te kunnen dragen zonder de moed te verliezen."'

'"Een overwinning duurt niet lang genoeg om alleen daarvoor te leven,"' voegde ik eraan toe.

'Wie heeft dat ook weer gezegd? Socrates?' vroeg Phillip.

Ik schudde mijn hoofd. 'Martina Navratilova.'

'Je houdt dus van tennis?' vroeg hij.

'Voor maatschappijleer moesten we een taak maken over een beroemd iemand uit de sportwereld,' legde ik uit.

'Geweldig. Geweldig,' zei hij, met zijn hoofd knikkend. Phillip legde zijn mes en vork gekruist neer en schoof zijn bord weg. Er viel een lange, pijnlijke stilte. Ik voelde op mijn klompen dat hij ergens op zat te broeden.

'Bindy, ik heb je nog maar net leren kennen, maar je moeder en ik hebben er lang over gepraat, en ik werd hoe langer hoe enthousiaster. Echt waar.'

Hij stak zijn arm uit en pakte mams hand vast.

Ik keek naar mijn bord. 'Bedankt voor het etentje. Het was lekker.'

'Een paar vrouwen bij mij op kantoor hebben boeken over ouderschap voor me gekocht. Ik heb ze nog niet gelezen, maar dat ga ik zeker doen.'

Het leek erop of hij zich voorbereidde op een nakend project. Ik draaide me naar mam toe. 'Heb je hier met pap over gepraat?'

'Je moeder heeft me verteld dat John een geweldige vader is,' zei Phillip. 'Ik weet zeker dat hij dat erg goed doet.'

Oké, zo was het wel genoeg. Ik duwde mijn stoel achteruit. 'Mag ik van tafel?'

'Tuurlijk, pluimpje,' zei mam.

Ik pakte mijn bord op en droeg het naar de keuken. Mijn hoofd tolde en ik wist wel zeker dat ik ieder moment tegen de vlakte kon gaan.

In de eetkamer hoorde ik Phillip op gedempte toon tegen mijn moeder praten. 'Ze heeft fijne tafelmanieren, Adele. Ik stond er echt van te kijken. Ik bedoel, daar kun je echt mee uit eten.'

Ik liep naar mijn kamer en deed de deur zachtjes achter me dicht. Ik pakte een van de kussens en propte het tegen me aan terwijl ik op bed ging liggen. Vlak voor mijn neus stond de foto van Wonderland. Op een of ander moment, en ik wist echt niet wanneer dat gebeurd was, was ik net zo lang geworden als mijn moeder. We lachten allebei alsof het de heerlijkste dag van ons leven was, maar ik kon me het moment nog levendig voor de geest halen. Het was echt balen.

De deur ging zachtjes open en mam kwam naar binnen en ging op de rand van het bed zitten.

'Belinda, ik wil niks forceren, maar misschien kun je me toch zo ongeveer zeggen wat je ervan vindt.'

Ik schikte een eindje op naar de muur toe.

'Waar je voorkeur ook naar uitgaat, het is best, hoor,' ging ze verder. 'Als je geen zin hebt, zeg het dan gewoon. Maar ik wil wel dat je weet hoe graag Phillip en ik het zouden willen.'

'Moet ik daar nu meteen een antwoord op geven?' vroeg ik.

Mam liet haar hand over de rand van het dekbed lopen en plukte aan onzichtbare wolletjes en losse draadjes. 'Nee, maar wat is je instinctieve reactie?'

Instinctief zeg ik nee. Maar wacht even. Misschien wil ik toch wel? Ik weet het niet.

'Ik weet het niet, mam. Dit is iets waar ik gewoon nooit aan gedacht heb.'

Mam bleef maar aan die zoom friemelen en plukken. Ik had zin om haar handen te pakken en ze weg te duwen. *Hou nu even op, wil je?*

'Moet ik morgen naar school? Ik bedoel, als ik beslis om bij jou te komen wonen, kan ik dan niet meteen op die nieuwe school beginnen?'

'Je zou natuurlijk wel nog een poosje op je oude school moeten blijven. Het volgende trimester kan je dan naar die nieuwe school.'

Ik snoof. Het volgende trimester? Het duurde nog duizend jaar voor het zo ver was!

Toen draaide ze zich naar me toe. 'Wat is het? Wat is het toch dat ik fout doe? Zeg het, Belinda, want ik heb echt geprobeerd om je alles te geven wat je nodig zou kunnen hebben. Wat wil je dan?'

Ik ging rechtop zitten. 'Hou eens op met gissen wat ik nodig heb om gelukkig te zijn. Vraag het me toch gewoon!'

We staarden elkaar aan.

Ze sloeg haar armen over elkaar. 'Oké, goed. Wat heb je nodig om gelukkig te zijn?'

Ik deed mijn mond open en toen klapte ik hem weer dicht. 'Dat weet ik nog niet. Ik moet er nog over nadenken.'

Ze stond op. 'Jij bent gewoon onmogelijk, weet je dat? Je bent net je vader – zo verdomd besluiteloos!'

'Waarom doe je dit allemaal?' schreeuwde ik tegen haar. 'Waarom ineens nu? Je hebt jaren en jaren laten voorbijgaan en nu wil je ineens een antwoord!'

Haar gezicht vertrok en haar lippen trokken strak. 'Ik wil dat kleine nest met haar handige-tips-voor-het-huis niet in jouw buurt hebben, of in je broers buurt. Ze heeft het recht niet!'

En toen beende ze weg en sloeg de deur met een klap achter zich dicht.

EENENDERTIG

Ik lag op bed en in mijn hoofd was het één janboel. Waarom was het allemaal zo ingewikkeld? Mam probeerde me altijd te laten doen wat zij wilde. En pap liet me maar aanmodderen. Op dat moment kreeg ik van allebei het heen en weer.

In een ideale wereld zou ik hier wonen, maar dan wel met pap en Kyle. Mam zou in het weekend langskomen, maar ze zou opgewekt zijn en koekjes voor ons bakken en niet de minste poging doen om ons leven in een bepaalde richting te sturen. Maar dit is dus geen ideale wereld. En er was geen derde mogelijkheid. Ik zou moeten kiezen.

Misschien kon iemand anders voor me kiezen? Ik keek naar de telefoon. Wie zou me kunnen vertellen wat ik moest doen?

Ik pakte de telefoon en belde naar huis. Met Kyle kon ik praten. Hij zou me zeggen dat het te dol was om het zelfs maar te overwegen, maar dat was prima. Dat was in ieder geval een beslissing.

De bel ging een paar keer over en toen hoorde ik een stem.

'Hallo?' zei ik.

'O, hallo Bindy. Alles goed met je?' Het was dat kleine nest met haar handige-tips-voor-het-huis in eigen persoon.

'Ja hoor,' zei ik. 'Ik, eh…'

En toen viel het me in dat ik eigenlijk ook met Liz kon praten. In een opwelling flapte ik het eruit. 'Mam heeft me gevraagd om bij haar te komen wonen.'

Liz zweeg even. 'En wat vind je daar zelf van?'

Ik wond het telefoonsnoer om mijn vinger. Ik had er al spijt van dat ik het gezegd had. 'Ik weet het niet.'

'Tja, dat is wel even moeilijk. We zouden je allemaal vreselijk missen. En je vader…' Ze haalde diep adem. 'O Bindy, er is altijd al zo'n getouwtrek om je geweest, niet?'

'Zo ongeveer, ja,' mompelde ik.

Toen Liz opnieuw begon te praten, klonk ze al even onzeker als ik – alsof ze ergens in het donker rondliep en tastend haar weg probeerde te vinden. 'Je moeder… hoe zal ik dat zeggen? Ze zal altijd willen wat zij denkt dat het beste voor je is, maar dat kan wel eens veranderen.'

'Ja,' zei ik. 'Ik heb onlangs wel een paar veldslagen gewonnen, en ze doet echt haar best.'

'Goed zo!'

Er viel een ongemakkelijke stilte en ik vond het stom van mezelf dat ik er ook maar over begonnen was.

Na een poosje begon ze weer te praten. 'Op dit moment is er voor ieder van ons zoveel aan het veranderen. Als je je beslissingen zou baseren op wat er allemaal gebeurd is in de afgelopen dagen, zou je wel eens kunnen merken dat het volgende week compleet anders is. Snap

je wat ik bedoel? Misschien moest je je maar concentreren op wie je zelf bent, Bindy, en al het andere om je
heen vergeten.'

'Mmm.'

Ze zweeg weer. 'Het spijt me, Bindy. Ik kan je kennelijk niet helpen.'

'Nee, je hebt me wel geholpen. Zo had ik het nog niet
bekeken. Ik was er eigenlijk alleen maar mee bezig op
welke manier ik het meest onder de school uit kon komen.'

Ze lachte.

Ik stond op het punt om op te hangen.

'O ja, Bindy?' begon ze.

'Ja?'

'Ik wil me er niet mee bemoeien als het gaat om iets
tussen jullie tweeën, maar Janey zit al een hele middag te
huilen. Ze vindt het verschrikkelijk wat er op school is
gebeurd. Ze heeft me verteld dat ze bij zo'n bende oudere
meisjes zit, maar ik weet zeker dat ze overdrijft. Ik wou
je alleen maar zeggen dat ze echt over je inzit en dat het
haar werkelijk spijt.'

'Ja. Oké.'

Nadat ik had neergelegd, trok ik mijn pyjama aan en
ik kroop in het gigantische bed.

Het meisje dat in dit huis zou intrekken bij Adele en
Phillip, en dat naar een meisjesschool in de buurt zou
gaan, zou een heel andere Bindy zijn. Ze zou voortreffe-
lijke tafelmanieren hebben en ze zou zelfverzekerd met
de ouderejaars een boom opzetten over een aantal acti-
viteiten voor het goede doel, en na een poosje zou ze
misschien zelfs 'prioriteiten' ontwikkelen.

Die Bindy zou misschien nooit een wind laten waar anderen bij zijn, of ze zou het niet hoeven meemaken dat iedereen haar ondergoed te zien krijgt, maar dan zou ze ook geen Cara of James of Kyle, of zelfs Janey in de buurt hebben, om haar er iedere dag aan te herinneren dat het toch eigenlijk niet zoveel voorstelde.

TWEEËNDERTIG

Toen ik de volgende ochtend naar de keuken liep, bleek dat mam pannenkoeken had proberen te bakken en het hele aanrecht zat onder de bloem en de eierschalen.

'Je kunt dat spul tegenwoordig in een flesje kopen,' zei ze tegen me, terwijl ze een bord voor me op tafel kwakte. 'Of panklaar. Hoef je ze alleen maar in een broodrooster te stoppen. Ik geloof dat ik dat een volgende keer ga doen.'

'Ik neem gewoonlijk alleen maar een stukje toast,' zei ik.

Ze stond met haar rug naar me toe. 'Ik heb beslist dat ik je niet langer onder druk ga zetten, pluimpje,' ging ze verder. 'Ik ga gewoon wachten tot je er klaar voor bent. Oké?'

'Oké.' Ik ging weer zitten.

'Wil je dat ik je haar vlecht?' vroeg ze.

Niet echt, maar ik kon zien dat ze dolgraag mijn haar wilde vlechten. En trouwens, als het er niet uitzag, kon ik de vlecht daarna weer losmaken.

'Als je dat leuk vindt,' zei ik, schouderophalend.

Ze ging achter me staan en ging met haar vingers door mijn haar om het in twee gelijke helften te verdelen.

'Mam?'

'Ja, liefje?'

'Pap heeft me verteld dat jij voor alles betaalt.'

Ze zei niks terug.

'Ik wou je alleen maar bedanken. Meer niet.'

'Ik ben blij dat je het apprecieert.' Ze trok even aan mijn haar en liet toen los. 'Zo, helemaal klaar.'

Mam zette koffie en we gingen tegenover elkaar aan tafel zitten.

Na een lange, ongemakkelijke stilte leunde mam achterover en sloeg haar benen over elkaar. 'Je gaat niet bij ons intrekken, hè?'

Ik schudde mijn hoofd.

Zo, het was eruit. Het was gezegd. En zo erg was het nu ook weer niet, of wel?

Heel even werd mams gezicht helemaal beverig, en toen beheerste ze zich weer. 'Mag ik vragen waarom niet?'

Ik keek naar mijn bord. 'Ik geloof niet dat dat nu, op dit moment, het beste voor me is.'

Ze sloeg haar armen over elkaar. 'En dat is je definitieve beslissing?'

'Ik vind niet dat dat definitief hoort te zijn,' zei ik zachtjes.

Na een akelig ritje stond ik voor de school. Busladingen vol leerlingen stroomden langs me heen de poorten door. Ik wilde niet naar binnen.

Toen ik langs het parkeerterrein van de leerkrachten

keek, kon ik het plein zien en het podium waar ik had gestaan toen de hele school mijn ondergoed bepotelde. De herinnering kwam in alle hevigheid terug.

Ik had absoluut geen zin in nog zo'n dag dat ik me sterk moest houden en commentaar van anderen moest trotseren. Voor hun was het alleen een manier om de aandacht te trekken en cool te zijn in de ogen van hun vrienden – misschien hadden ze zelfs het idee dat ze iets aardigs zeiden. Maar voor mij was het alweer een situatie waar ik geen controle over had, en die ik over me heen moest laten gaan en uitzitten tot er weer een nieuwe crisis aan kwam zetten. Daar had ik gewoon geen energie meer voor.

Ik besloot dus toch maar niet naar binnen te gaan. Ik had nog een dag nodig, eigenlijk had ik nog een week nodig, maar één extra dag zou volstaan.

Net toen ik me omdraaide om het lange eind naar huis te lopen, hoorde ik een stem. 'Hé, Bindy!'

Het was Cara. Ik keek om en ik zag haar aan de rand van het plein naar me staan zwaaien. Er lag een brede, malle grijns op haar gezicht. James was bij haar en ze kwamen samen naar me toegelopen.

'We stonden op je te wachten.'

'We hebben je gemist, gisteren.'

'Is alles goed met je?'

Toen ze bij me kwamen, haakten ze allebei een arm in de mijne, net of ze voor krukken speelden, en zo loodsten ze me over het pad de school in.

'Ja, prima hoor,' zei ik glimlachend.

De hele dag zaten ze aan weerskanten naast me – als

twee menselijke schilden. Een paar mensen maakten wat grapjes in de klas, maar de anderen – zelfs mensen die ik niet zo goed kende – zeiden dat ze niet zo stom moesten doen.

Bij wetenschappen moesten we een groepswerk maken en we beslisten om het met zijn drieën te doen. We zouden de volgende week bij mij thuis bij elkaar komen om eraan te beginnen, en ook al was het werk voor school, toch keek ik ernaar uit.

Toen aan het eind van de dag de bel ging, slaakte ik een zucht. Deze dag had ik toch maar gehaald. En zo erg was het nu ook weer niet.

DRIEËNDERTIG

Meneer Clemens had er helemaal geen bezwaar tegen dat we extra geld wilden inzamelen voor het voetbalteam van de junioren en hij gaf ons zelfs toestemming om een van de kooklokalen te gebruiken tijdens het weekend.

Pap en Liz darden rond in tweelingschorten. En Janey zat in een hoekje met haar armen over elkaar en een norse trek op haar gezicht. In het begin was Kyle vreselijk nerveus, maar die kleine voetballertjes waren zo heftig dat hij zijn handen vol had en na een poosje begon hij te lachen en er echt van te genieten. De ouders brachten hun kinderen en bleven een tijdje om er zeker van te zijn dat er meer chocola in het gebak terechtkwam dan in de monden van de junioren.

Cara en James waren ook gekomen. We hielden een fantastisch bloemgevecht tot Liz boos werd en zei dat we het slechte voorbeeld gaven. Ze stuurde ons naar buiten om af te koelen.

We lagen op het gras te luisteren naar het geschreeuw van de kinderen, terwijl de geur van het gebak door het raam naar buiten waaide. Ik trok grassprietjes uit en speelde er mee.

'Janey amuseert zich best,' zei James.

Cara rolde op haar buik. 'Wat heeft ze dan gedaan?'

'Waar heb je het over?' vroeg ik.

'Die keer dat jullie ruzie hadden, zei jij dat je niet zou klikken. Wat had ze dan gedaan?'

Ik schudde mijn hoofd. 'Zeg ik niet.'

Cara snoof en rolde weer op haar rug. 'Dat is niet eerlijk!'

James kruiste zijn benen en sloeg zijn armen om zijn kuiten heen. Hij zag er bijzonder knap uit, en zijn haar glansde en het was schoon. 'Wil je weten wat het ergste is wat ik ooit gedaan heb?'

'Ja,' zei Cara, terwijl ze rechtop ging zitten.

'Op een keer – ik moet zowat zes of zeven zijn geweest, dat weet ik niet meer zo goed – mocht ik met mijn moeder mee om kerstcadeautjes te gaan kopen. Ze had een heel verhaal verteld over dat ze de kerstman moest helpen. Ze was erg gespannen, zoals de meeste volwassenen met de kerst, en we waren al uren bezig. We stonden op de speelgoedafdeling van een of ander warenhuis naast de afdeling ondergoed voor mannen of zo. Ze was allerlei spullen aan het kopen en ik slenterde wat in mijn eentje rond. Ik ontdekte zo'n figuurtje van de Power Rangers dat ik echt wilde hebben. Ik had een trui bij me. Van mam moet ik overal een trui mee naartoe slepen, voor het geval dat. Alsof er op kerstavond ineens een koudegolf neer zou strijken, maar zo is mijn moeder nu eenmaal. In een vorig leven is ze vast hopman geweest.

In ieder geval, ik had die trui bij me, en ik wikkelde het figuurtje erin en ik propte hem onder mijn arm terwijl ik er zo onschuldig mogelijk probeerde uit te zien. Toen ik me omdraaide stond de kerstman aan het eind van de gang.'

'Had hij je gezien?' vroeg Cara.

'De kerstman boog zich voorover tot hij vlakbij me was en toen zei hij: "Ben jij wel braaf geweest?"'

'En wat deed je toen?' vroeg ik.

'Ik raakte in paniek. Ik zette het op een brullen en ik liep huilend weg,' zei hij lachend. Ik had nooit eerder gemerkt dat hij zulke geweldige tanden had. En zo mooi recht.

'En dat poppetje van Power Ranger?' vroeg Cara.

'Een figuurtje,' corrigeerde James. 'Ik geloof dat ik het nog ergens heb.'

'Hij had het dus niet gezien?' zei ze.

James haalde zijn schouders op. 'Als hij het al gezien had, heeft hij er toch niks van gezegd. En ik heb al mijn cadeautjes gekregen, net zoals anders, dus heeft hij het me vast vergeven.'

'Zou je het opnieuw doen?' vroeg ik.

James schudde zijn hoofd. 'Nee hoor, zeker weten.'

'Maar je bent er wel mee weggekomen,' zei ik.

'Niet echt,' zei hij, terwijl hij met zijn hoofd schudde. 'Ik heb nooit met dat figuurtje gespeeld. Als mam me ermee had zien spelen, had ze zeker willen weten waar het vandaan kwam, en dus moest ik het wel geheim houden. Ik was nooit op mijn gemak met dat ding. Iedere keer als ik het tevoorschijn haalde, zag ik alleen maar dat grote, blozende gezicht van de kerstman voor me. Ik wil nooit meer iets hebben dat me zo'n gevoel geeft.'

'En jij, Cara?' vroeg ik.

Ze haalde haar schouders op. 'Ik heb geld uit mijn moeders portemonnee gestolen.'

'En wat heb jij gedaan?' vroeg James aan mij.

'O, ik heb nogal wat foute dingen gedaan,' antwoordde ik.

Hij ging rechtop zitten. 'Wat dan? Vertel!' Het wit van zijn ogen was heel erg wit, bijna blauw.

Ik schudde mijn hoofd. De enige foute dingen die ik ooit gedaan had, waren altijd Janey's idee geweest. Als ik dat verklapte, zou ik ook Janey's geheimen verklappen. 'Misschien een andere keer.'

'Toe dan!' zei Cara.

'Ik ga het echt niet zeggen,' zei ik.

Cara kwam overeind, veegde haar handen af aan haar in jeans gestoken kont en zei: 'Ik ben zo terug.'

James keek haar na toen ze door de deur liep en toen schoot hij dichter naar me toe.

'Bindy…' begon hij, 'denk je dat je me nu… zou willen zoenen?'

Ik lag daar roerloos op mijn rug, met een hart dat bonke-bonke deed in mijn borst, en een tintelend gevoel over mijn hele lichaam. Dit was het dus. Hij zou me zoenen. Ik wilde maar wat graag dat hij me zoende, maar tegelijk wilde ik ook heel hard wegrennen.

'Eh, j… ja, dat is goed,' stamelde ik.

Hij leunde naar me over en zijn gezicht kwam steeds dichter bij het mijne tot ik de poriën in zijn huid kon zien. Ik had overal kippenvel en ik deed mijn ogen dicht.

Zijn lippen ramden de mijne, veel wijder dan ik had gedacht, als een zeehond die het water in duikt. Dat probeerde ik te compenseren door mijn mond ietsje verder open te doen, maar toen deed hij zijn mond nog verder open alsof hij een gekke bek wilde trekken. Hij stak zijn tong uit en die botste tegen de mijne en gleed toen opzij. Hij smaakte naar koekdeeg. Ik deed mijn ogen open en draaide mijn gezicht weg.

'Ik weet niet of ik hier klaar voor ben,' zei ik.

'Wat bedoel je?'

'Nu ja, eigenlijk zou ik me moeten concentreren op mijn gevoelens voor jou, dat soort dingen, maar ik zit alleen maar in de knoei met de praktische kant van de zaak.'

'O,' zei hij.

'Het is gewoon… nu ja, het is niet erg romantisch. Ik had verwacht dat het vanzelf zou gaan, zoals in de film.'

Hij knipperde met zijn ogen. 'Hoe weet jij of die mensen in de film niet bezig zijn met de praktische kant van de zaak?' Hij leunde weer naar me over. 'We moeten gewoon oefenen.'

Ik trok me weg. 'Nee, James.'

Hij rolde op zijn rug. 'Dan ben ik niet langer je vriendje,' zei hij knorrig. Hij keek op naar de hemel. 'O jee, dat lijkt erop alsof het uit is tussen ons, niet? Heb ik het nu uitgemaakt met jou of jij met mij?'

'James,' zei ik. 'We zijn ook nooit met elkaar Uit gegaan.'

'O ja, dat is zo.' Hij wreef zijn handen tegen elkaar.

We bleven oneindig lang zwijgen.

'Denk je dat we toch nog vrienden kunnen blijven?' vroeg James. 'Ik hoop het echt wel, want ik ben graag bij jou en ook bij Cara.' Hij zweeg even. 'Misschien wil je volgend jaar wel met me Uitgaan? Wat denk je?'

Ik glimlachte. 'Het moedigste wat er bestaat is je verlies te kunnen dragen zonder de moed te verliezen,' zei ik.

'Wat?' vroeg hij.

'Ach, niks.'

VIERENDERTIG

Het taartenkraam leverde vierhonderdvijftig dollar op – minder dan de vijfhonderdentien die Kyle nodig had voor de truitjes. Maar met mams geld erbij had hij nog genoeg over om ook de netten te laten herstellen.

Hannah vertrok naar Maleisië. Janey huilde. De dag nadat haar schorsing afgelopen was en ze weer op school verscheen, zagen Cara en James en ik haar tijdens de pauze vanaf ons plekje bij Blok B ijsberen langs de omheining van het schoolterrein. Ze zag er nerveus uit en ze bleef dicht in de buurt van het kantoor aan de voorkant. Er liep een golf van verwachting over het plein, alsof de hele school wachtte op het moment dat de meisjes van het voorlaatste jaar eraan kwamen.

'Mag ik haar gaan redden?' vroeg James. 'Alsjeblieft?'

'Mij lieten jullie anders wel een eeuwigheid in mijn eentje zitten!' protesteerde ik.

'Je had je hand op kunnen steken. Maar daar was je te trots voor,' antwoordde hij. 'En, mag ik?'

Cara en ik wisselden een blik. Ik haalde mijn schouders op. 'Ja, waarom niet?'

James zette zijn handen om zijn mond. 'Hé Janey.' Ze begon naar ons toe te lopen. 'Geen zin om bij mijn harem te komen?' vroeg hij.

Janey aarzelde, met een halve glimlach op haar gezicht. Cara gaf hem een mep op zijn arm.

Ik gaf een klapje op het gras naast me. 'Let maar niet op hem, hij is alleen maar wanhopig.'

'Bedankt,' zei ze, en ze ging zitten.

'Okido,' zei ik.

Heel wat hoofden draaiden onze kant op, en een paar van de jongens struinden nonchalant naar ons toe. Ze hoopten allemaal op een potje herrie. Maar na een poosje verloren ze hun belangstelling en keerden ze weer terug naar hun spelletjes.

Wij zaten een poosje in stilte bij elkaar en toen stond Cara op en veegde het gras van de achterkant van haar rok.

'James, ga jij met mij mee naar de kantine?'

'Neu,' zei hij.

'Jawel, hoor,' zei ze, terwijl ze hem aan zijn arm omhoog hees.

'Nee hoor, ik ga niet met je mee,' zei hij.

'Ik dacht van wel, hoor James,' zei ik.

Hij keek me aan en toen wierp hij een snelle blik op Janey. 'O, oké.' Toen stond hij op.

Janey keek ze na terwijl ze over het pad wegliepen. 'Dat was lief van haar,' zei ze.

Ik knikte. 'Cara is daar goed in.'

Ze staarde strak voor zich uit. 'Het spijt me van dat gedoe met die slipjes.'

Ik strekte mijn benen uit en leunde op mijn hand-palmen. 'Ik overleef het wel.'

'Het was niet mijn idee,' zei ze. 'Ik wist niet wat ze van plan waren. Nu ja, ik wist het wel, maar Hannah zou er eerst maar één pakken, en Mitchell zou het op zijn hoofd zetten, als een muts, onder wetenschappen. Daarna zouden we het meteen teruggeven. Ik besefte niet dat ze er zoveel hadden gepakt, of dat ze iets zouden doen waar de hele school bij was.'

Ja, zeg, dat eerste plan was een stuk minder vernede-rend – en zo volwassen.

'Laat maar zitten, oké?'

'Nee, Bindy, het spijt me echt heel erg.' Ze liet even een pauze vallen terwijl ze naar de grond keek. 'Is het dan echt goed dat ik bij jullie kom zitten?'

'Ik vind het prima, Janey, maar misschien heb je er wel last van dat we niet op jouw niveau zitten.'

Ze leunde naar me over en gaf een stomp tegen mijn been. 'Hou je kop, zeg.'

Ik lachte en zij bloosde.

Later die avond speelden Janey en ik *Battlefield* in Kyles kamer. Kyle en Janey besloten te doen alsof ze el-kaar nooit gezoend hadden. Soms is het handig om te doen alsof.

Kyle droeg het hemd met lange mouwen dat mam voor hem gekocht had.

We hadden zo lang zitten spelen dat ik niet gemerkt had hoe laat het was. Het was bijna drie uur 's ochtends voor ik me naar buiten waagde om iets te eten te maken voor ons allemaal.

Toen ik door de gang liep, nam ik niet de moeite om de lichten aan te knippen – mijn ogen waren gewend geraakt aan het donker. En bovendien kon ik de keuken zien omdat er licht uit de koelkast scheen.

Ik knielde neer en keek toe. Ik weet niet waarom ik dat deed. Misschien kwam het omdat ik het afgelopen halfuur voor sluipschutter had gespeeld en op mijn digitale buik door een virtuele oorlogszone was geslopen? Het was pap. Ik zag zijn gekke-professor-hoofd met die piekerige haartjes die alle kanten op stonden als hij uit bed kwam.

Toen ik besefte wat hij aan het doen was, repte ik me terug naar Kyles kamer om de anderen te halen.

'Dit moet je zien,' fluisterde ik.

'Wat?' vroeg Janey.

Ik legde mijn vinger op mijn lippen en gebaarde dat ze me moesten volgen, en ze liepen allebei achter me aan de gang op. Toen we halverwege de gang waren gekomen, knipte ik het licht aan. Daar stond pap, midden in de keuken, met een melkfles van twee liter aan zijn lippen en een doos chocoladepoeder open op het aanrecht.

Toen het licht aanging, liet hij de fles zo snel zakken dat er een gulp op zijn T-shirt kwam, zodat er een modderige bruine vlek op zat.

'Melkvarken!' schreeuwde ik, terwijl ik naar hem wees.

'Nietes!' protesteerde hij, met de fles nog altijd in zijn hand, en de merknaam goed zichtbaar alsof hij meespeelde in een reclamespotje.

'Pap, je hebt een melksnor!' zei ik.

'Je bent er gloeiend bij!' voegde Kyle eraan toe.

'Wat doen jullie trouwens uit bed? Het is allang bedtijd geweest voor jullie,' zei hij.

Janey bemoeide zich er ook mee. 'En de hele tijd hebben wij elkaar de schuld gegeven, terwijl jij het was!'

Pap keek over haar schouder en wees. 'Achter je, kijk! Een olifant!'

Janey keek over haar schouder, maar Kyle en ik niet. Het was een oud grapje. Pap graaide de doos chocoladepoeder en de melk mee en stormde naar zijn slaapkamer, waarna hij de deur achter zich dichtsmeet.

We staarden elkaar allemaal aan. Ik wou net iets zeggen, maar pap deed de deur weer open en stak zijn hoofd naar buiten.

'Meisjes, jullie geven Kyle geen drugs, hoor,' zei hij, en toen smeet hij de deur weer dicht.

Kyle staarde me aan. 'Wat had dat te betekenen?'

Janey's mond viel open. 'Jij!' zei ze, terwijl ze naar me wees.

Ik schudde mijn hoofd. 'Ik heb niet geklikt, Janey, ik zweer het!'

'Op je erewoord?'

'Echt waar, Janey, ik heb niks gezegd!'

'Ben jij een junk?' vroeg Kyle verbaasd.

'Dat geloof je toch niet?' zei Janey.

Later die nacht lagen Janey en ik op mijn kamer. Ik dacht dat ze al in slaap gevallen was op het logeerbed, maar ineens begon ze te praten.

'Denk je dat John echt weet dat ik rook?' fluisterde ze.

'Tuurlijk weet hij het.'

'Maar als hij het weet, hoe komt het dan dat ik niet in de problemen gekomen ben?'

Ik stopte mijn handen achter mijn hoofd. 'Dat is niet zijn manier van doen. Als hij zegt dat we iets niet mogen, dan willen we dat juist heel graag achter zijn rug doen, maar als hij ons duidelijk maakt dat hij het weet, dan moeten wij zelf de keuze maken.'

Ik hoorde hoe ze naar me toe rolde. 'Dat is pas stom. Hoe weet je dat trouwens? Misschien wil hij daarmee zeggen dat hij het goed vindt.'

'Ik weet het gewoon.'

En ik wist dat hij eigenlijk Janey bedoelde, toen hij meisjes had gezegd. Als hij ook maar vermoedde dat ik het was geweest, had hij wel eens een hartig woordje met me gepraat. Ze ging rechtop zitten. 'Maar hoe weet je dat hij dat denkt?'

Ik glimlachte. 'Ach, Janey, misschien komt dat omdat ik volwassener ben dan jij.'

In het donker vloog er een kussen tegen mijn gezicht aan.

Ik duwde het weg. 'Zie je wel? Dat is precies wat ik bedoel.'